En souvenir d'une semaine, d'un anniversaire mémorable, de pannes de voiture, et de . . . .

Le Vénézuela a été un passage, il te reste le monde à parcourir

Edwige : 18.12.96 Gisèle

Caracas, marzo de 1995
Séptima Edición

TEXTOS
Manuel Pérez Vila
Otto Huber

TRADUCCION AL INGLES
Hilary Branch

TRADUCCION AL ALEMAN
Rainer Fingerl

FOTOGRAFIAS
Karl Weidmann

DISEÑO GRAFICO
Alvaro Sotillo

SELECCIONES DE COLOR
Montana Gráfica

IMPRESION
Editorial Arte, Caracas

FOTOCOMPOSICION
Sarria srl

Oscar Todtmann Editores ®

ISBN 980-6028-01-5

La Gran Sabana

LA GRAN

Oscar Todtmann Editores

SABANA'

Karl Weidmann

Textos de

Manuel Pérez Vila
Otto Huber

Caracas.Venezuela

Hubo quien dijo que tocar determinado libro era alcanzar a un hombre. Contrariamente, el que toque las páginas que siguen tendrá en sus manos un país. Apresará la imagen perfecta de un paisaje físico que exhibe su alma inédita, tan intacta como el Jardín del Edén. En esas imágenes falta el hombre. Una soledad significativa se hace patente detrás de las tomas del fotógrafo. Parecería que ese silencio es el mejor comentario a la magnificencia del espectáculo. La naturaleza no sometida, la primicia del mundo virginalmente abierto a la aventura del hombre aumenta la espléndida dimensión de grandeza que cada imagen propone. El hombre no está porque el silencio establece el recogimiento necesario para admirar.

Venezuela ha sido celebrada por el testimonio de los viajeros de todos los tiempos. Desde su más remoto pasado nadie se paseó impunemente por la sobrecogedora belleza de su tierra.

El caudal de sus ríos es tan inagotable como la extensión de su territorio y por esta causa todavía vive, en muchos sentidos, con la silenciosa inocencia de un mundo desconocido, de un universo por descubrir.

Las imágenes de este libro son una tentativa de reducir, hasta donde es posible, esa distancia que media entre el paisaje y el viajero, entre la tierra y su habitante.

Dos son las lecturas posibles de estas páginas: la del paisaje apresado en las fotos y la de los textos donde el trasfondo del paisaje, su hondura geológica y vital es desentrañada.

Los dos caminos son aproximaciones que tienen sentido como acto de amor. Solo en la medida que amamos se nos revela la verdad profunda de todo objeto contemplado.

El paisaje está allí, al alcance de los ojos. Pero es un gesto del alma el movimiento necesario y suficiente para apropiarnoslo y hacerlo parte de nosotros.

No es aventurado afirmar que este libro es el fruto de un acto que tiende, precisamente, con amor, a la fijación del silencio que justifica con su elocuencia sin sílabas el gran alma del paisaje venezolano. Con devoción pedagógica nos enseña, nos muestra el espacio que nos incluye, el gran cuerpo dentro del cual vivimos y crecemos.

Hugo García Robles

Pequeña Historia de la Gran Sabana

Manuel Pérez Vila

¡Tierra adentro! Más allá de las riberas del Atlántico, festoneadas de verdes manglares. ¡Rumbo al sur! Dejando atrás el inmenso arco trazado por el Orinoco, río-padre cuyo caudal se nutre de centenares de afluentes. ¡Hacia arriba! Navegando contra la corriente o sorteando los rápidos de los ríos Paragua, Caroní, Mazaruni-Kamoarán y sus numerosos tributarios. Allí, tierra adentro, hacia el sur, en lo alto, surcado y rodeado por ríos que son —como lo dijo Pascal alguna vez— 'caminos que andan', está el territorio generalmente llamado la Gran Sabana, en el corazón mismo de la Guayana venezolana. Quien lo sobrevuele a una altitud relativamente baja podrá creer tal vez, a ciertas horas, que está contemplando un encrespado océano petrificado, de inmóvil oleaje, en el cual navegan, sobre un fondo de nubes en movimiento, las inmensas moles de los tepuyes. Navíos fantasmagóricos cuya base está envuelta en neblina semejante a espuma marina. Durante siglos, la región permaneció alejada de las grandes corrientes de la historia occidental, y hoy todavía conserva el primitivo encanto de la naturaleza virgen, ese misterio de lo intocado, el cual empieza ya a perder. Allí, en esas tierras donde parece aún alentar el soplo divino de la creación, situó el escritor Arturo Conan Doyle, en 1912, el escenario de su novela El Mundo Perdido. El creador de ficciones literarias y el científico se dan aquí la mano. También para los geólogos y los geógrafos el Escudo Guayanés (mucho más vasto, por supuesto, que la Gran Sabana, a la cual engloba) es una de las por-

ciones más antiguas del planeta, fragmento desgajado, para decirlo con palabras del maestro Pablo Vila, 'del primitivo continente Gondvana, del cual son fragmentos también Africa, la India y Australia'. Al Escudo Guayanés y al Macizo Brasileño del Matto Grosso —separados por la inmensidad de la hoya amazónica— los geólogos les atribuyen una antigüedad que se extiende hasta el período precámbrico. La imaginación, que se expande sin límites al considerar la vastedad del escenario geográfico de la Gran Sabana, se pierde también cuando se vuelve hacia el pasado y contempla las edades geológicas. Ciencia y poesía —una poesía que no es propiamente ficción, en este caso— se dan de nuevo la mano cuando dos ingenieros venezolanos, Luis Felipe y Armando Vegas, describen en una publicación hecha en 1943 al Roraima, el más elevado de los tepuyes, tal como lo habían visto diez años atrás: ''...Un gigantesco bloque de arenisca que se levanta casi a plomo. Su cumbre es una extensa meseta, la cual presenta rocas de formas caprichosas, efecto de las aguas de lluvia sobre la arenisca; grietas y pozos —algunos de éstos son muy profundos— están en comunicación con galerías subterráneas por donde las aguas penetran y desaparecen; cristales de roca de variados colores cubren en algunas partes la superficie y, finalmente, pequeños torrentes surcan aquélla hasta precipitarse bajo forma de lluvia sobre una selva que, situada a unos mil pies más abajo, rodea este coloso''. Majestusa visión. Siglo y medio antes, en 1788, un misionero capuchino, el Padre Mariano de Cervera, al avistar en la lejanía otras formaciones rocosas, desde las orillas del Caroní, sorprendiose de 'que parecen artificiales, según lo que tienen de torres y castillos'. Y un misionero de nuestro tiempo, fray Mariano Gutiérrez Salazar, también capuchino, al hablarnos de los indígenas que viven en la Gran Sabana o las regiones aledañas nos dice que los kamarakoto 'miran con temor supersticioso' a un monte cuyo nombre secreto —que ellos nunca pronuncian en sus cercanías o mirándolo fijamente— es Paraipa-tepui, también llamado 'Cerro de Campanero'.

No por mera casualidad nos hemos referido a la actitud de los hombres ante las maravillas o los enigmas o los retos de la naturaleza. Una actitud que puede expresarse por las vertientes de la fe, la ciencia y la acción.

Porque lo que aquí nos interesa es la historia, es decir, el devenir del hombre, en tanto que ser social, situado en el espacio y en el tiempo. En este caso, el marco del estudio nos lo da el espacio, el ámbito geográfico de la Gran Sabana. Entonces, el hombre ya no lo será en general, sino en tanto que miembro de las sociedades que han tenido alguna vinculación directa o indirecta con dicho ámbito. Y el tiempo habrá de ser aquél durante el cual ocurre algo relacionado, también directa o indirectamente, con ese espacio natural y esos seres humanos. Sin embargo, si al relatar la historia de la Gran Sabana nos circunscribiésemos a sus límites geográficos estrictos y nos refiriésemos únicamente a los grupos humanos que viven o vivieron en ella, esa historia resultaría incomprensible y habría de parecernos trunca o mutilada. Geográficamente su territorio, a pesar de lo notable de sus características orográficas, es parte del Escudo Guayanés, y se vincula al resto de Guayana a través de los ríos Paragua y Caroní, de un modo especial el segundo de éstos. Si la Gran Sabana propiamente dicha es, desde el punto de vista del relieve, una altiplanicie bastante accidentada en la cual sobresalen los impresionantes tepuyes que culminan en el Roraima, hidrográficamente la región se amplía hasta abarcar las cuencas alta y media de los dos grandes ríos antes mencionados, cuyas aguas se unen más abajo, ya fuera de la Gran Sabana misma. La lengua pemón, de raíz caribe, que es la hablada por la mayoría de los indígenas de la Gran Sabana, también se extiende más allá del marco geográfico de ésta. En cuanto al enfoque propiamente histórico, es evidente que tan sólo el conocimiento de las circunstancias externas a la región hará posible comprender el relativo aislamiento en que permaneció la Gran Sabana durante mucho tiempo. Antes de abordar la que bien podemos llamar 'prehistoria' de la Gran Sabana, es válido preguntarse de dónde viene este nombre, y cuán antiguo es. En el mapa publicado en París en 1654 por el cartógrafo francés Nicolás Sanson d'Abbeville —quien nunca visitó la región— titulado ''La Guaiane ou coste sauvage, autrement El Dorado et Païs des Amazones'', se menciona por primera vez al Roraima, pero no se da un nombre específico a la región. En un mapa no fechado, pero elaborado a fines de 1771 o comienzos de 1772 por el capuchino catalán fray Carlos de Barcelona, figura el 'Serro Auyán', es decir, el Auyantepui, y al sureste del mismo la mención 'Tierras Desiertas', que corresponde a las que hoy son llamadas Gran Sabana. Fray Carlos, que era hermano lego, sí estuvo varios años en Guayana, pero no parece haber penetrado en la Gran Sabana. El contenido del mapa se identifica como ''Tierras pertenecientes a la conquista de los Reverendos Padres Capuchinos Catalanes de Guayana, desde el Orinoco hasta la Equinoccial'', es decir, hasta, teóricamente, el ecuador. Los misioneros del siglo XVIII solían denominar a la totalidad del área en la cual ejercían su apostolado en Guayana con el nombre de 'Misiones del Caroní'. Este fue también el que se les dio en 1924, cuando fueron restablecidas las misiones en aquella porción —y también en otras— del territorio venezolano: 'Misiones, o Vicariato Apostólico, del Caroní'. El nombre de Gran Sabana, aplicado a una parte del ámbito de dichas misiones, se debe al agente viajero, luego explorador y minero, Juan María Mundó Freixas, nativo de Cataluña en España, quien en septiembre de 1929 publicó en la revista caraqueña <u>Cultura Venezolana</u> un artículo donde mencionaba a la Gran Sabana por este nombre, y afirmaba que era una simple versión al castellano del que le daban los indígenas, el cual, según Mundó, era '<u>Tei-Pun</u>: La Gran Sabana'. En cambio, según Monseñor Mariano Gutiérrez Salazar, quien es el Vicario Apostólico del Caroní —es decir, de las misiones— los pemón

llaman a su tierra <u>Wek-tá</u>, 'lugar de cerros'. En todo caso, la denominación de la Gran Sabana tuvo éxito, fue adoptada desde 1930 por Félix Cardona —compatriota y compañero de Mundó— y luego, hacia 1933, por los ingenieros venezolanos Luis Felipe y Armando Vegas, hasta entrar en el lenguaje oficial cuando el 17 de diciembre de 1938 el Presidente de la República Eleazar López Contreras decretó que se hiciera un 'Estudio Preliminar de la Gran Sabana'. Hoy, todos la conocemos con este nombre.

Convergen tres culturas

De entre las brumas de la prehistoria sur-americana, que antropólogos y arqueólogos como Mario Sanoja Obediente, Iraida Vargas y Luis Felipe Bate se esfuerzan por disipar, surge un nombre: el 'Complejo Canaima'. Allí, en plena selva de la Orinoquia, cerca del río Caroní, en los sitios de Canaima y La Paragua —a las puertas, como quien dice, de la Gran Sabana— existen tenues testimonios que revelan la presencia del hombre americano hacia el séptimo y tal vez el octavo milenio antes de Cristo; es decir, hace 9000 ó 10000 años. Se trata de pequeñas comunidades de cazadores-recolectores, sobre los cuales muy poco se sabe, excepto que tenían habilidad para fabricar hachas y otros instrumentos de piedra tallada. Se dedicarían a la caza de los grandes herbívoros del pleistoceno, como los glyptodontes, mastodontes y milodontes, y de otros animales de menor tamaño que entonces existían, como dos tipos diferentes de caballos, todos los cuales se extinguieron luego; había también numerosos roedores, y animales depredadores como el jaguar. Se dedicarían igualmente, aunque de ello no se han encontrado testimonios en esa región (pero sí en otras de Venezuela), a la pesca en las corrientes fluviales. Solían instalar sus campamentos cerca de los ríos, a conveniente distancia de los bebederos a los cuales acudían los animales; pero esto —escribe Bate refiriéndose a grupos similares— "no limita las áreas de caza y con seguridad esta actividad los obligó a cubrir grandes extensiones, incluyendo los terrenos elevados o alejados de sus paraderos o campamentos". Tal vez algún día se revelará la huella del hombre prehistórico en la Gran Sabana. No es posible decir con certeza qué relación pudo existir —si es que alguna hubo— entre los hombres del "Complejo Canaima" (cuyo rastro se desvanece hacia el tercer milenio a.C) y los que más al nordeste, en el sitio de Barrancas, en la orilla izquierda del Orinoco (allí donde el río empieza a abrirse en los numerosos caños que constituyen su delta) establecieron a comienzos del último milenio a.C una civilización aldeana, sedentaria y horticultora, que perduró, en diversas etapas, hasta los siglos XVI y XVII de nuestra era, es decir, hasta después de haberse producido el encuentro de culturas que solemos llamar 'El Descubrimiento'. Esta colectividad orinoquense, estudiada por Sanoja y Vargas —quienes la definen como 'Fase Barrancas'— produjo hermosas piezas de alfarería y muy probablemente fue una de las comunidades aborígenes

que logró desarrollar tempranamente el cultivo de la yuca, el cual luego ellos mismos, u otros moradores de la costa oriental de Venezuela, condujeron a las Antillas menores a fines del último milenio a.C. En el auge de su expansión (de 200 a.C a 700 d.C) los barrancoides envían —o llevan— su característica cerámica a lugares tan distantes como el Bajo Amazonas y la isla Quisqueya (Santo Domingo), a la vez que establecen aldeas —entre otros sitios— en las márgenes del Bajo Caroní. Hacia el fin de este período clásico, alrededor del siglo VII de nuestra era, es posible que hayan incorporado el maíz a las plantas cultivadas por ellos. Si así fue, se produjo entonces el encuentro —aun cuando no se debe descartar que haya ocurrido también en otros lugares— de las dos grandes culturas americanas: la de la yuca y la del maíz. Unos siglos después, a fines del XV, otra cultura, la del trigo, se incorporaría a las anteriores, procedente del Viejo Mundo, al llegar los españoles a las bocas del Orinoco durante el tercer viaje colombino. Sin embargo, a pesar de que a vuelo de pájaro la Serranía de Lema, que por el norte sirve de antemural a la Gran Sabana, no dista más de unos 500 kilómetros de la Península de Paria, habrán de transcurrir casi trescientos años antes de que un europeo transponga los linderos de aquella remota y misteriosa región. Este lento proceso tiene su explicación, pero antes de entrar en ella, debemos detenernos a considerar a los indígenas que —ya en tiempos históricos— tienen su hábitat en la Gran Sabana y territorios aledaños del río Caroní.

Son los que se llamaban y siguen llamándose pemón, pemontón en plural, una etnia de detinidos rasgos culturales.

Algo de etno-historia pemón

Nosanpare ite tope; kamon-kapui namai: 'Para que perdure y no se olvide'. Esta frase, en el idioma pemón que hablan los más antiguos habitantes de la Gran Sabana históricamente identificados, nos recuerda el célebre comienzo de la obra escrita por el griego del siglo V a.C a quien llamamos El Padre de la Historia: ''Esta es la exposición de las investigaciones de Herodoto de Halicarnaso, para que no se desvanezcan con el tiempo los hechos de los hombres...'' Pero lamentablemente los pemones eran un pueblo ágrafo y por esto no han escrito acerca de su pasado. Perdura, sí, el testimonio oral, transmitido de padres a hijos, que ha recogido y editado, con amor, paciencia y sabiduría, fray Cesáreo de Armellada en libros como Taurón Pantón (Así dice el cuento) o Pemontón Taremurú (Invocaciones mágicas de los Indios Pemón). Obras de valioso contenido literario, que revelan interesantes facetas de la cosmovisión de los pemones y nos dicen bastante sobre cómo se ven a sí mismos, pero que muy poco, casi nada, aportan al conocimiento histórico de su pasado antes de sus primeros encuentros con el europeo a mediados del siglo XVIII. Los propios pemones suelen reconocerlo al hablar con misioneros y antropólogos: ''A decir verdad, nosotros no sabemos cosas muy antiguas''.

Sobre la vida de los pemón durante nuestro siglo, y especialmente a partir de los años 1920, abunda la información etnográfica y lingüística en las obras de misioneros como fray Cesáreo de Armellada, fray Mariano Gutiérrez Salazar o fray Pacífico de Pobladura, exploradores como Theodor Koch-Grünberg y antropólogos como Luis Urbina y David John Thomas. Pero lo que en este momento nos interesa, la historia del pueblo pemón antes de la segunda mitad del siglo XVIII, es un verdadero misterio, un desafío a la inteligencia y a la imaginación. No sólo en las cimas de los tepuyes hay enigmas que resolver: también los encontramos entre los primitivos habitantes de la Gran Sabana, de la hoya del Caroní y regiones circundantes. Cuando los capuchinos catalanes de Guayana entran esporádicamente en contacto a partir de 1750 con los indígenas pemón (a quienes designan con los gentilicios locales de kamarakotos, ipurugotos, etc), aquellos indígenas, según lo explica Thomas, ''ocupaban la mayor parte de lo que actualmente es el territorio tribal pemón, desde el Alto Surumu y afluentes del Uraricuaera en el Territorio Federal de Roraima (Brasil) hacia el norte hasta el Carrao, con sus fronteras orientales sobre las cabeceras del Venamo y del Kamarang (o Kamoarán) y sus límites occidentales en el Valle del Paragua y sus afluentes''. Como se ve, una extensión mucho más vasta que la de la Gran Sabana propiamente dicha. ¿Cómo, desde dónde, y cuándo habían llegado hasta allí? Los estudiosos de la prehistoria suramericana no pueden, todavía, contestar esta pregunta múltiple, como tampoco están en condiciones de hacerlo para muchos grupos similares. Los pemón, cuya lengua pertenece al vigoroso tronco cultural caribe, pueden haber llegado a la región que hoy ocupan cuando se produjo la penetración, en varias oleadas, de indígenas de esa etnia en el territorio de lo que hoy es el sureste y el oriente de Venezuela. El idioma pemón presenta algunas características comunes con el de sus vecinos del este (akaguayos) y del sur (makushis), pertenecientes ambos al tronco caribe, lo cual parecería señalar entre esas tres parcialidades una cercanía de origen —y no sólo de contigüidad territorial— dentro de la variedad de tribus caribanas presentes hoy tanto en Venezuela como en Guyana, Colombia y Brasil, o que existieron en tiempos históricos en muchas islas del Mar Caribe. La teoría que hoy por hoy tiene mayor aceptación entre los estudiosos supone que la penetración caribe en el actual territorio venezolano se produjo desde el sur hacia el norte, y que de las costas orientales se extendió al Mar Caribe. En el curso de este proceso, que bien pudo durar siglos, los pemón, por su propia voluntad, o presionados por parcialidades caribes más poderosas o aguerridas, hicieron de la Gran Sabana y tierras aledañas su hábitat y ahí, en esa región relativamente inaccesible, desarrollaron una civilización 'primitiva', bastante pacífica, de cazadores-pescadores que, andando el tiempo, se transformaron en agricultores-hortelanos semi-itinerantes. No deja de ser curioso, sin embargo, que un pueblo que du-

rante siglos —tal vez milenios— vivió enclaustrado en aquella región interior, tenga en su literatura oral tantas alusiones al mar: parau. Sin alistarme en las filas de quienes defienden la ya caduca teoría del 'Buen Salvaje' (pues los pemones y demás indígenas son, simplemente, seres humanos, y no 'salvajes' buenos o malos) pienso a veces que la Gran Sabana sería para ellos, en aquellos lejanos tiempos, como un Edén. Impresión que tuvo también ya bien avanzado nuestro siglo uno de los mejores conocedores del pemón y de su mundo, fray Cesáreo de Armellada (cuyo primer viaje a la Gran Sabana data de 1933), quien escribe: ''Durante el estudio (de los tarén o invocaciones mágicas), unas veces me he sentido transportado a los días iniciales de los hombres sobre la tierra, en los días inmediatos de su salida del paraíso, cuando comenzaron los males por las propiedades contrarias de las cosas y por la envidia de algunos; y otras veces me sentía en aquella época dorada cuando Orfeo dominaba a las fieras con su flauta''. Un paraíso, tal vez, pero en todo caso un paraíso después de la caída, lo cual implicaba la exigencia del trabajo para ganar el cotidiano sustento propio y familiar.

Los relatos y los estudios de misioneros y antropólogos permiten inferir, aunque no con la precisión que desearíamos, cuál pudo ser el género de vida de los pemones antes del siglo XVIII. Eran simultáneamente cazadores y pescadores, como siguen siéndolo hoy. No es posible decir si cuando llegaron sus antepasados a la Gran Sabana eran todavía meros recolectores (además, por supuesto, de dedicarse a cazar y pescar), o si poseían las técnicas de la agricultura de conuco, semi-itinerante, de tala y quema, que, según nos consta, practicaban ya por lo menos durante el siglo XVIII y probablemente desde mucho antes, y que continúan practicando hoy muchos de ellos. Para cazar usaban cerbatanas con pequeños proyectiles de madera dura muy afilada, cuya punta embebían en curare. También, para la caza mayor, tal como el cochino de monte, se servían de lanzas de recia madera muy aguzada en su extremo, así como de arcos y flechas. Las puntas de éstas últimas debieron ser, al comienzo, de piedra tallada y pulida, pero luego las hicieron de hueso de pescado y de madera dura como la de la palma <u>avara</u>, con la cual fabricaban también cuchillos. Los arcos, con flechas de tres puntas a veces, a fin de afincarse mejor en la presa, les servían igualmente para ir de pesca. Para esta actividad, que al parecer era para ellos más rendidora que la caza, utilizaban muy diversos procedimientos, además del arco: pequeñas redes y nasas hechas de bejucos, y también el barbasco, jugo extraído de unas plantas el cual, vertido en un remanso o 'pozo' donde se supone que hay peces, los intoxica y los obliga a subir a la superficie, donde son fácilmente atrapados.

La pesca, en general, podía practicarse sin alejarse mucho de las viviendas, pues éstas estaban situadas por lo común cerca de un curso de agua, los cuales son bastante numerosos en la Gran Sabana. En cambio, la caza solía exigir desplazamientos mayores, que podían durar algunas jornadas. A veces los hombres pertenecientes a una misma comunidad que salían de caza individualmente o en pequeños grupos familiares, se ponían de acuerdo para regresar todos el mismo día a fin de celebrar con una fiesta el resultado de la cacería. Para contar los días sin error disponían del <u>vikui</u>, que era un palito con muescas o un guaral con nudos, tantos como días se habían previsto. Procedimiento que recuerda, aunque en forma muy rudimentaria, el <u>quipu</u> del incanato, y que también menciona como utilizado por los indígenas de la isla de Trinidad, en 1774, el sacerdote español fray Iñigo Abbad. Durante esas expediciones, y también en el curso de los viajes que luego mencionaremos, construían albergues provisionales, sustentados sobre estacas, con techo de hojas de palma o hierba y sin paredes. La vivienda típica pemón, la que utilizaban desde antiguo, similar a la que usan otros indígenas de las regiones circundantes, es una casa, de planta circular u ovalada y de airosa techumbre cónica, a la cual ellos llaman <u>waipá</u>. "En la zona de la sabana —escribe Thomas, refiriéndose a las casas tradicionales que aún hoy se construyen— las viviendas frecuentemente tienen paredes de barro y techumbre de palma, mientras que en la zona fluvial, con frecuencia, las paredes son de corteza de árboles o de paja". Y Monseñor Gutiérrez, al relatar cómo edifican los pemones sus actuales viviendas, nos da un dato que ratifica su carácter tradicional: "En toda la construcción no se emplea un clavo ni alambre. Todo se va sujetando con bejucos o lianas proporcionadas, flexibles y muy resistentes". Así, ciertamente, debían de ser las viviendas del pueblo pemón cuando Cristóbal Colón avistó por primera vez a fines del siglo XV la tierra que luego se llamaría Venezuela. Las viviendas, como se ha dicho, solían estar situadas cerca de algún río o alguna quebrada, pues el agua era y es vital. El patrón de asentamiento tendía hacia la dispersión, y no parece que haya habido poblados grandes: a lo sumo, en un área determinada, seis u ocho viviendas, y no pocas veces serían dos o tres, cuando no una aislada. Las condiciones de la existencia así lo imponían, tratándose de comunidades de cazadores-pescadores y agricultores que practicaban el cultivo del conuco itinerante, a base de tala y quema.

La densidad demográfica ha debido ser muy baja entonces, (aunque obviamente se carece de cifras al respecto), como lo es también hoy, cuando la población total pemón que vive en el territorio nacional se ha calculado en 11464 personas, según el último Censo Indígena. Como muchos otros grupos aborígenes de la América precolombina, los pemones desconcían el concepto occidental de la propiedad de la tierra. Tenían, sí, la idea del usufructo, y respetaban habitualmente el derecho que a la producción de un conuco tenía quien lo había rozado y sembrado, y el derecho a habitar una casa por quien la había construido. Pero una vivienda o un conuco abandonados podían ser utilizados por el que los necesitase. Este es el concepto actual, y no hay duda de que debió ser el que prevaleció en siglos pasados. La limpieza del terreno escogido para el conuco (muá en pemón) se realizaba mediante la tala y la quema. Como instrumentos usaban chícoras para sembrar, y también 'hachas' de piedra tallada, a guisa de azadas. El más importante cultivo era la yuca amarga, que constituía su principal alimento, ya que les proporcionaba el pan (casabe) y el cachirí, bebida fermentada, además del kumachi, un condimento al cual le agregaban ají picante (pueimuei) del que nunca faltaba alguna mata en todo conuco. Plantaban igualmente tubérculos como la batata morada y el ñame, y también matas de tabaco, que mascado, fumado o ingerido en forma de infusión solían utilizar los piasán (piaches, o shamanes) durante las sesiones rituales.

Este método de cultivo, que empobrece rápidamente la tierra, obliga a cambiar con frecuencia la ubicación de los conucos, lo cual, en ciertas ocasiones —aunque probablemente no en cada caso— haría también necesario abandonar la vivienda y edificar otra en un lugar más cercano a los nuevos sembradíos. Esto hacía de los pemón un pueblo semi-nómada, ya que por lo menos una buena parte de sus integrantes cambiaban de asentamiento varias veces en su vida, aun cuando lo más probable es que —salvo algún caso excepcional— lo hiciesen únicamente dentro del hábitat ancestral que, conviene recordarlo, no sólo incluía a la hoy llamada Gran Sabana, sino también parte de las hoyas altas del Paragua y del Caroní. Refiriéndose a los actuales pemones de la Gran

Sabana, Monseñor Gutiérrez Salazar expresa que sería equivocado catalogarlos como nómadas, aunque admite que ''tienen un grado de movilidad territorial familiar, a que les obliga la pobreza de la tierra de su hábitat; pero siempre se mueven —agrega— dentro de un área determinada, a la que se sienten ligados desde sus ancestros, quienes ya la trabajaron y en ella nacieron y fueron sepultados''. Otro testimonio, de fray Cesáreo de Armellada, también referido a los pemones de nuestra época, confirma su 'seminomadismo' y precisa que ''la mayoría de los consultados (para recoger literatura oral) habían vivido en muchos y muy distantes caseríos; inclusive en las regiones limítrofes de Brasil y de Guyana''. Si tal es la situación actual, cuando los capuchinos de Castilla se esfuerzan por sedentarizar a los pemones alrededor de los centros misionales (y lo han logrado en parte), es de pensar que el semi-nomadismo tuvo que ser un rasgo muy relevante de la cultura pemón durante el período precolombino y los siglos que siguieron a la llegada de los europeos al Nuevo Mundo. Un rasgo más acusado, inclusive, que en nuestros días.

Otra característica que los pemones compartían con muchos grupos aborígenes de las regiones selváticas, era la realización de viajes, tanto dentro del territorio tribal como fuera de éste. Los motivos para emprenderlos podían ser diversos, aparte de las expediciones de pesca y caza; visitar o socorrer a familiares y amigos; prospección de territorios más favorables; comercio. ''Los pemón —escribe el antropólogo Thomas— recorren largas distancias, a veces inmediatamente después de recibir la noticia, para socorrer a parientes entermos o lesionados y cuando es necesario les llevan alimentos''. Tampoco debe olvidarse el aliciente de la innata curiosidad humana, no menos viva en el pemón que en otras colectividades, como lo demuestra frecuentemente el contenido de sus cuentos y leyendas. Estos viajes, que a veces incluían familias nucleares completas y otras veces únicamente mujeres, o varones, solos o en pequeños grupos, favorecían la exogamia entre los pemones, pues algunos de los hombres jóvenes tomaban esposa en sitios más o menos alejados de su lugar de residencia, como lo refleja también la literatura oral. Antes de emprender un viaje los pemones se tatuaban la cara, las extremidades y el torso pintando figuras geométricas o de animales estilizados, con jugo de onoto, de caruto y de varios bejucos. El objetivo era doble: por una parte, al tatuaje (o a los ingredientes usados para el mismo) se le atribuían cualidades mágicas de protección; por otra, las figuras y los colores identificaban ante propios y extraños a quien lucía el tatuaje. Durante los viajes y las expediciones de caza y pesca se servían de embarcaciones que fabricaban con gran destreza. Las principales eran las kuriaras monóxilas (de una sola pieza) hechas ahuecando el tronco de un árbol mediante el fuego y trabajándolo luego con hachas de piedra bien afiladas.

Para cruzar quebradas y pequeños ríos construían embarcaciones provisionales cosiendo con bejucos las cortezas de ciertos árboles.

16y17

Si bien este segundo tipo, de 'buques dese-chables', se construían en todos los lugares donde hubiese corrientes navegables, inclusive buena parte de la Gran Sabana, las kuriaras mayores solían fabricarlas los grupos de indígenas cercanos a los grandes ríos. Es posible que ya en la época precolombina (como sabemos que ocurrió más tarde), algunas de las embarcaciones mayores las adquiriesen los pemones de los makiritares, indígenas caribes de idioma diferente, que ocupaban regiones del curso alto del Paragua, al oeste del territorio pemón. Aunque limitada a unos pocos productos (pues los alimentos básicos los obtenían todos por igual y no era necesario intercambiarlos) existía una actividad comercial interna dentro del territorio pemón, que se enlazaba con la de las tribus circundantes. Era un trueque de productos: un chinchorro por un rallo de yuca, por ejemplo. Además de estos artefactos eran objeto de intercambio curiaras, ollas de barro, cerbatanas, cestería, etc. En algún momento se estableció una cierta especialización regional o tribal para la elaboración de algunos utensilios: los pemón apreciaban más los rallos makiritare, aunque también sabían fabricar esos artefactos; los makiritare, por su parte, parecían tener preferencia por los chinchorros de los pemón. En el comercio intertribal, éstos últimos actuaban como intermediarios (igual que otras tribus) en un complejo que iba desde la región del Esequibo hasta los numerosos afluentes del Orinoco y más al occidente aún, así como todo el territorio hacia el sur.

Estas actividades no estaban reservadas a indígenas especializados, sino que las realizaban quienes poseían algo que intercambiar.

Entre el mito y la historia

Esta inter-relación no impidió y, antes bien, debió favorecer que los pemón —como miembros de la gran etnia caribana— desarrollasen un definido sentido de identidad. Así como los karina o kariña (indios caribes bravos para quienes algunos estudiosos han propuesto que se reserve el apelativo de 'Verdaderos Caribes') tenían su célebre grito de guerra ana karina rote ('sólo nosotros somos hombres'), para el pemón su gentilicio no sólo designaba a él y a los demás individuos que hablaban el mismo idioma, sino que equivalía —equivale aún hoy, desde el punto de vista lexicográfico— a 'hombre', a 'ser humano'. Al extranjero lo llaman, en general, enek, que significa, también, 'bicho, animal dañino y enfermedad'. Una visión etnocéntrica que no sólo han tenido los amerindios, sino los griegos que desde la época de Homero designaban con el nombre de bárbaro al individuo que no hablaba su lengua. ''Para el pemón —escribe Monseñor Gutiérrez Sandoval— como para las diversas ramas de árbol 'Caribe', el prototipo humano es el de su grupo''. Aunque existen diferencias dialectales dentro de su idioma, el indígena pemón, del norte o del sur de la Gran Sabana, sigue identificándose a sí mismo como tal. Si se le pregunta ¿Ané kin amaré? (¿Quién eres?) contestará: Pemón yuré: soy pemón. Es de presumir que tal actitud, enraizada en el alma colectiva durante siglos, y probablemente milenios, tuvo que manifestarse con no menos vigor en épocas anteriores al contacto con el europeo. Hay, sin embargo, una circunstancia curiosa, que creo interesante destacar. Como se sabe, los nombres con que los exploradores, antropólogos y etnólogos han designado a las parcialidades indígenas que existen aún en Venezuela no corresponden en muchos casos al nombre que los miembros de cada parcialidad se dan a sí mismos. Los que solemos denominar guahibos se autodesignan kiwi; los paraujanos, añu; los makiritares, yekuana; los guajiros, wayu; los akaguayos, vecinos de los pemones, kapon. En cambio, los pemones se llaman igual, pemón; y hasta los makushis, sus vecinos por el sur, han adoptado el nombre de pemón, con el cual se designan a sí mismos, aunque no lo sean. Dadas estas circunstancias, es por lo menos sorprendente que en ninguno de los mapas del siglo XVIII o del XIX que conozco, ni en ninguno de los documentos misionales de las mismas épocas que he leído, aparezca el gentilicio pemón. Figuran, sí, en los documentos, referencias a los indígenas que habitaban alguna subárea dentro del territorio general pemón, como es el caso de los kamarakotos. Enek, el extranjero, no sólo es el 'otro', el 'no-pemón', el que 'no-entiende-ni-habla-mi lengua' (es decir, el bárbaro de los griegos), sino que además se le compara a un 'animal dañino', a una 'enfermedad'. ¿Qué tipo de experiencias pudieron inducir al pemón a esa generalización? Desde luego, la violen-

cia y su forma institucionalizada, guerra, no podían estar ausentes de su historia. En el vocabulario de los pemón, hasta donde yo sé, no figura el sustantivo guerra, pero sí están el adjetivo guerrero (kuadan) y el verbo guerrear (kuadan-pá) amén de cuatro voces diferentes para el verbo pelear y tres para el sustantivo peleador. Las manifestaciones de violencia entre pemones (individual, o familia vs. familia) están explícitas o subyacen en muchos cuentos o relatos de su tradición oral. En otros casos es la violencia que contra los pemón ejercían indígenas pertenecientes a tribus extrañas la que se transparenta. Así ocurre en el cuento de Tapu-tapuka, donde éste, "el padre de los Sirianá", es presentado como un antropófago que agrede a los pemón disparando flechas de gran tamaño y al final es vencido por ellos asfixiándolo dentro de una vivienda con humo de ají. Los sirianá (o shirishana) son un subgrupo de los yanomami, indígenas cuyo idioma no está relacionado con el tronco lingüístico caribe, los cuales eran vecinos de los pemón hacia el suroeste del territorio de éstos, en la región del Alto Paragua. Está históricamente comprobado que utilizaban flechas de gran tamaño. Bien que no sea posible situar en un determinado momento cronológict el relato sobre Tapu-tapuka, no cabe dudar de su trasfondo histórico; aunque por supuesto el antropófago del cuento puede ser un personaje mítico en el cual se condense el temor que a los pemones les causarían los sirianá, sus vecinos. Y no deja de ser interesante que a la flecha enorme, símbolo de la fuerza (pues el arco tenía que ser también grande, y muy musculoso el indio que lo tensaba) opongan los pemones la astucia, con el ardid guerrero que les permite asfixiar al enemigo. Por supuesto, los pemones lo cuentan así, y habría que oír lo que dicen –si algo dicen– los shirishana.

Otro importante episodio es el que figura en el relato mítico 'La Visita al Cielo', donde se mencionan las legendarias guerras entre los pichaukok y los kukuyikok que tampoco es posible situar hoy con exactitud en el tiempo. Una de las parcialidades contendientes, los kukuyikok (a quienes Koch-Grünberg, denomina Kuyálakok) provienen de la región de los ingarikó, gente 'de la selva tupida'. Los antropólogos contemporáneos identifican a los ingarikó con los patamona, cuyo hábitat actual se halla en la Guayana Esequiba (zona en reclamación), hacia el sureste del territorio pemón, pero que en épocas anteriores habrían vivido también al nordeste del Roraima. Los patamona –ingarikó (de los cuales eran una sub-rama los kukuyikok) pertenecen al tronco lingüístico caribe. Veamos como transcribe Koch-Grünberg el relato que un pemón llamado Mayuluaipu le hizo hacia 1911 en la región del Roraima, al comienzo de 'La Visita al Cielo': ''En tiempos antiguos, había una guerra entre dos tribus. Una se llamaba Kuyálakog (kukuyikok), la otra Palawiyáng (pichaukok). La guerra se llevó a cabo en la región de la Sierra Uraukaima. Los Palawiyáng atacaron a los Kuyálakog. Mataron algunos cuando habían ido a la plantación. Entonces se reunieron los Kuyálakog para aniquilar a los Palawiyáng. Vinieron y los atacaron. Llegaron a la aldea que consistía en cinco casas y la incendiaron por dos puntos de noche para que se hiciera luz y los enemigos no pudieran huir en la oscuridad. Mataron con el mazo a muchos en el momento en que querían escapar de las casas''. Así habló Mayuluaipu.

Este realista relato contrasta con el resto de la leyenda, donde los animales se convierten en seres humanos y viceversa. Acaso corresponde a un hecho histórico específico, que lo mismo pudo haber sucedido durante el siglo I a.C como durante el XVI de nuestra era, para mencionar dos momentos cualesquiera, pero no en el XVII o el XVIII, pues en esa época ya los caribes belicosos de la región Mazaruni-Roraima poseían armas de fuego que les proporcionaban los holandeses y en el relato sólo se menciona como armas a los mazos, es decir, las terribles macanas típicas del guerrero caribe. Es difícil identificar a los Palawiyáng (Koch-Grünberg los asimila a los 'paravilhana' de los brasileños, y Armellada a los pichaukok, ''tribu indígena antigua que dicen vivía en la región del Kukenán, cerro y río cercanos al Roraima''), pero es evidente que los kuyálakog, kukuyikok, ingarikó o patamona, como quiera que los llamemos, eran una tribu de caribes bravos. Tal vez el texto transcrito, más que reflejar un hecho histórico específico, simboliza el temor que dichos caribes, sanguinarios cazadores de esclavos inspiraban a los pemones. Estos últimos, aunque de lengua caribana, pertenecerían a los que posteriormente los españoles llamaron 'caribes mansos' o pacíficos. Relativamente pacíficos, por lo menos, comparados con los otros. En su monografía sobre <u>Los Caribes y la conquista de la Guayana Española</u>, Marc de Civrieux se refiere a la presencia, en tiempos precolombinos y también después, de los 'caribes verdaderos', es decir, bravos, tanto en las cercanías del Caroní y del Paragua como en la región guayanesa del Esequibo-Mazaruni-Cuyuní. Es interesante que mientras en la lengua de los kariña y de otras parcialidades de caribes bravos la palabra <u>poito</u> significaba 'forastero, enemigo, rehén', (obsérvese la transición: el <u>forastero</u> es un potencial enemigo, a quien puedo convertir en <u>rehén</u>, o sea esclavo, si lo venzo), en el idioma pemón <u>poito</u> es 'sobrino, yerno o sirviente'. El sobrino ayuda a los tíos y el yerno a su suegro en la estructura social pemón, la cual es mucho más familiar que tribal. Simplificando un poco los términos, podría hablarse de dos mentalidades distintas en el período precolombino y los primeros siglos de la conquista europea. Una belicosa y agresiva: la de los caribes bravos, para quienes el forastero era un enemigo y un potencial esclavo. Otra pacífica, defensiva, que exaltaba los valores familiares: la de los pemón, o caribes mansos, para quienes el forastero era una potencial amenaza, igual que un animal dañino o una enfermedad. Esa actitud defensiva, que no debe confundirse de ningún modo con cobardía, podría tener como símbolo una empalizada que en épocas remotas rodeaba a las viviendas de los pemones, llamada pewi,

nombre este del cual, según creen algunos, podría tal vez provenir el gentilicio pemón. Esa mentalidad, unida a las características geográficas de la Gran Sabana y a circunstancias geopolíticas totalmente ajenas a los pemones, podría explicar por qué fue tan tardía la penetración del hombre blanco en la tierra ancestral de esos aborígenes. Para ello debemos dejarlos por ahora en el corazón de Guayana y volver la mirada hacia los hombres barbados llegados de Europa a fines del siglo XV.

El Orinoco, puerta de la misteriosa Guayana

Cuando Colón, al término de su tercer viaje, costeando el 1° de agosto de 1498 la isla que acaba de bautizar Trinidad, siente la tremenda fuerza de la corriente de aguas dulces que el Orinoco impulsa mar afuera, cree hallarse en las cercanías del Paraíso Terrenal y comprende al mismo tiempo que el potente caudal de aquel río apenas presentido anuncia la existencia de un vasto continente. Ya en el golfo de Paria, el paisaje tropical de exuberante verdor le confirma en sus ideas: aquella porción de la actual Venezuela recibe de él el nombre —místico y poético a la vez— de 'Tierra de Gracia'. Otros navegantes hispanos que siguen las huellas de Colón avistarán el delta del Orinoco, sin penetrar en él. Uno de los primeros en navegar por sus bocas, en 1516, es el hidalgo vascongado Juan Bono de Quejo, quien captura en la isla de Trinidad a casi 300 indios pacíficos y los conduce como esclavos a la isla de Puerto Rico. Abundan los casos similares de los cuales son protagonistas burgaleses y andaluces, genoveses y catalanes, alemanes y extremeños. Sólo durante los meses de octubre y noviembre de 1519 llegan a Santo Domingo 378 indios apresados en la costa oriental de Venezuela, más de la mitad de los cuales eran mujeres y niños —'una mocita de ocho años, con su hermano de tres'— sin que faltasen casos como el de una 'india vieja, flaca y enferma de 40 años'. Pese a los esfuerzos de sacerdotes justos y abnegados como fray Bartolomé de Las Casas —quien condena precisamente en su Historia la incursión de Bono de Quejo— y de funcionarios honestos, la caza de indios continúa. A los europeos que se dedican a tan inhumana empresa les basta con alegar que se trata de caribes, indios feroces y antropófagos, para justificarse ante las autoridades. Pero uno de ellos, el ya mencionado Bono de Quejo, ha de reconocer durante una indagación hecha en 1519 que los aborígenes de la Trinidad son 'guaitiaos' —es decir, indios pacíficos— y que si los europeos no les hacen daño, ellos no los atacan. No es este el caso de los caribes bravos que ocupan porciones del territorio oriental venezolano, quienes se enfrentan a los conquistadores. También otras parcialidades aborígenes de la región costera se rebelan. En 1520, ante los abusos del Juez territorial de Cubagua y Tierra Firme, Antonio Flores, cuatro caciques se confederan, destruyen el convento dominico de Santa Fe y el convento franciscano de Cumaná, y matan a varios misioneros, artesanos y soldados españoles que se habían esta-

blecido en Tierra Firme. El 'ensayo de evangelización pura' —según palabras del historiador Pablo Ojer— que había auspiciado el Padre Las Casas, se hundió para siempre en la hoguera de la rebelión indígena. A pesar de que el capitán Gonzalo de Ocampo restableció la 'cabeza de puente' cubagüense en Tierra Firme en 1521, la penetración europea en el oriente venezolano iba a ser muy lenta y penosa desde entonces.

Las bocas del Orinoco invitan a penetrar hacia el corazón del continente a aquellos hombres que ya sienten la tentación de 'El Dorado'. La primera expedición que sube río arriba es la de Diego de Ordás. Un hidalgo leonés que había acompañado a Hernán Cortés en la conquista de México, y que ahora anda en busca del 'rey Dorado'. A fines de junio de 1531 sus buques penetran por el caño Mánamo y llegan al poblado de Huyaparí o Uyapar. El poblado, situado en la orilla norte del Orinoco, era uno de los antiguos asentamientos de los indígenas 'barrancoides'. Allí se produce un enfrentamiento entre españoles y aborígenes; éstos últimos abandonan el lugar, no sin antes incendiar las viviendas. Una exploración, encomendada por Ordás al capitán Juan González, se interna tierra adentro, hacia el sur. Al regresar, informan que el territorio es vasto y boscoso, pero casi no han visto habitantes ni hallado oro. Siguen navegando Orinoco arriba, con muchas dificultades debido al tamaño relativamente grande de los bergantines. Los caballos van en balsas especialmente construidas. Los pocos indios que encuentran, a quienes muestran oro y plata, les dan a entender que más allá del Meta, detrás de una gran cordillera, hay mucho oro. Se refieren, sin duda, a los indígenas del altiplano bogotano. Pero el hambre y las enfermedades castigan a los españoles. Muertes y deserciones disminuyen la expedición. Las desavenencias embotan la voluntad. Llegan a unos raudales que no consiguen franquear, y deciden regresar a su base de Paria. A costa de muchas vidas, han obtenido apenas 300 pesos de oro 'guaní', es decir, de baja ley. Pero la puerta de Guayana ha sido abierta. Otras expediciones, que recorren luego el Orinoco y logran llegar más lejos que la de Ordás, no tienen mejor resultado: ni fundan poblaciones ni encuentran 'El Dorado'. Muy avanzado el siglo XVI, el curso del Orinoco y sobre todo la vasta región guayanesa son todavía mal conocidos. En la <u>Geografía y Descripción Universal de las Indias</u> redactada en España durante la década de 1570 por el cronista y cosmógrafo de la Corona Juan López de Velasco (quien se basa en relatos e informes de exploradores y conquistadores), se menciona como uno de los afluentes del Orinoco ''el río de la Guayana, como cuarenta o cincuenta leguas de la mar por el oriente, de donde trae su nacimiento y nombre por pasar por la provincia de Guayana''. Es muy probable que, a pesar de las imprecisiones, se refiriese al actual río Caroní.

En 1584 Antonio de Berrío, hidalgo segoviano avecindado en el Nuevo Reino de Granada (Colombia) emprende la jornada del Orinoco, no desde las bocas, sino bajando de la cordillera y cruzando los llanos. Fracasa, pero insiste varias veces, dominado por la obsesión doradista. Alcanza por fin el Orinoco, baja por él y llega a la isla de Trinidad, donde su teniente Domingo de Vera e Ibargoyen funda la población de San José de Oruña en 1592. Ahí se cruzan los caminos de Antonio de Berrío y del marino, escritor y cortesano inglés Walter Raleigh, a quien los españoles llamaban, fonéticamente, 'Guaterral'. En abril de 1595 el inglés se apodera de la isla de Trinidad —que pronto vuelve a perder— y toma prisionero al español. Sir Walter, que sueña también con 'El Dorado', quiere sonsacarle a don Antonio lo que éste sepa. Es en vano. Raleigh se interna por su cuenta en el Orinoco, y llega al Bajo Caroní, de donde regresa a Trinidad. Algún tiempo después, derrotado el inglés en Cumaná, Berrío recobra su libertad y con el apoyo de las gentes de Cumaná y de Margarita-españoles, criollos, mestizos—penetra de nuevo en el Orinoco y en diciembre de 1595 funda no lejos de la desembocadura del río Caroní la ciudad de Santo Tomé de Guayana. Son, apenas, unas chozas casi indefensas, con una iglesia de techo pajizo, habitadas por un puñado de hombres. La ciudad habrá de sufrir, en las décadas siguientes, asaltos de indios y de piratas, epidemias, incendios, hambrunas, y a consecuencia de esto o por razones económicas o estratégicas, se trasladará varias veces de sitio sin salir de la región ni alejarse de la orilla meridional del Orinoco. Pero su nombre será siempre el mismo: Santo Tomé, o Santo Tomás, o San Tomé de Guayana. Esta pequeña aldea no sólo es la primera ciudad fundada en Guayana sino también la que fija la soberanía hispánica —heredada por la Venezuela republicana— sobre la rica y misteriosa región que ayer y hoy encandila las imaginaciones. Un informe sin fecha, de alrededor de 1595 ó 1596, atribuido a Antonio de Berrío o inspirado por él, refleja las confusas informaciones que los españoles recibían de los indios, o mejor lo que aquéllos tenían en la mente y querían oír de los indios. Hay una 'laguna grandísima' llamada 'Maroa' a once jornadas del punto máximo alcanzado por la penetración conquistadora. En toda la región guayanesa, creen los europeos, viven más de dos millones de indios. Toda la tierra de Guayana es llana, metida entre sierras, en valles de cuatro a ocho o más leguas de largo y dos a tres de ancho; es tierra fría, con valles muy templados. Cerca de la laguna Maroa nace el río Caroní, en el cual "hay mucha suma de gente y grandes caciques, de todos los cuales dicen haber un solo señor, a quien obedecen y respetan". Hay mucho oro Caroní arriba, pero los indios lo esconden porque así se lo ha ordenado el cacique Morequita, que es, éste, un personaje histórico. Tallan en madera y pintan mazorcas de maíz, pájaros, águilas y otros animales, todo muy 'al vivo'. Usan arco y flechas, y 'hachas de piedra por espada'. En otro informe redactado en 1597, Domingo de Vera, el maestre de campo de Berrío, ofrece una visión más realista al narrar el fin que tuvo la incursión que por orden de Berrío había realizado, después de la fundación de Santo

Tomé, un capitán portugués de más de 60 años llamado Alvaro Jorge. Este "entró 30 leguas tierra adentro, donde los indios le regalaron y dieron de comer a todos los soldados. Y como viejo, y falta de virtud, murió; y muerto él hubo división en el mando entre los capitanes, y como cada uno tenía valedores, hacían los agravios: empiezan a pedirles oro (a los indios), a tomarles las hijas y mujeres y delante de sus hijos a usar mal de ellas. Divídese la gente sin orden ni concierto. Piérdenles el respeto y los indios matan a más de 350 hombres". Los sobrevivientes regresan a Santo Tomé "que es —explica Vera— la ciudad que está poblada a la entrada de Guayana". Aunque el número de españoles muertos probablemente está exagerado, el resto parece corresponder bastante bien a lo que fue una dolorosa realidad. Entre tanto, en Santo Tomé, se construye la 'Casa del Gobernador', que será la primera fortaleza de la nueva ciudad. Espaciosa, de gruesos muros de adobe, tiene varios aposentos, un corredor, armería y cuerpo de guardia. Hacia septiembre u octubre de 1597 muere el fundador. Su hijo, Fernando de Berrío, mozo de una veintena de años, continuará su obra y la consolidará.
Raleigh, que ha vuelto a Inglaterra, publica allí en 1596 su libro The Discovery of the large, rich and beautiful Empire of Guiana. "El Imperio de Guayana —escribe— exactamente al este del Perú, hacia el mar, bajo la línea equinoccial, encierra mucho más oro que la más rica provincia del Perú...". Ahora los ingleses, los holandeses, los franceses, empiezan

también a soñar con 'el Dorado'. Unos hablan de la fantástica laguna de Manoa. Otros, de la no menos fantástica laguna de Parima, o Parimé. Un desparramadero de ríos crecidos, hecho geográfico real, espolea la imaginación de quienes sueñan con hallar el reino del monarca cubierto de oro y piedras preciosas. La descripción que hace Raleigh del Bajo Caroní es a la vez poética y precisa: ''...yo fui por tierra con el capitán Gilford, el capitán Calfield, Edward Hancocke y media docena de arcabuceros para ver las extraordinarias cataratas del río Caroní —que él llamaba Caroli— cuyo rugido se percibía desde tan lejos, y para explorar la llanura próxima y el resto de la provincia de Canuri. También mandé al capitán Whiddon, a W. Connocke y a unos ocho arcabuceros a ver si encontraban algún mineral en las orillas del río. Una vez alcanzadas las cimas de las primeras colinas que se elevaban en la llanura que bordeaba al río, contemplamos aquella asombrosa brecha por donde corría el Caroní. Desde allí pudimos ver cómo el río se dividía en tres brazos en una longitud de más de veinte millas; y aparecieron ante nuestra vista unas diez o doce cataratas, escalonadas unas tras otras y cada una tan alta como la torre de una iglesia. Sus aguas caían con tal furia que sus salpicaduras cubrían todo el paraje de una fina lluvia, que al principio nos pareció una inmensa humareda que subía desde algún pueblo grande''.

''Por mi gusto, siendo como soy tan mal caminante, hubiéramos vuelto al barco; pero los demás sentían tantas ganas de acercarse al lugar donde se producían los extraños truenos del agua que me convencieron poco a poco; y así llegamos al valle siguiente, donde lo pudimos ver mejor. Nunca he contemplado un paisaje más hermoso ni vistas más alegres: colinas que se levantaban aquí y allá sobre el valle; el río serpenteando en diversos brazos, con las planicies contiguas desprovistas de matas y de maleza; todo cubierto de hierba verde y fina y con un suelo de arena dura, cómodo para caminar a caballo o a pie; venados que cruzaban cada sendero; pájaros que al atardecer cantaban en todos los árboles sus mil canciones distintas; grullas y garzas blancas, rojas y carmesí, que parloteaban en las orillas. El aire fresco soplaba en forma de una ligera brisa del Este, y cada piedra que cogíamos semejaba, por su color, ser de oro o de plata''. Aunque no resultan ser ni una cosa ni otra, Raleigh habla luego de zafiros, de diamantes, de las piedras llamadas 'la madre del oro', y se declara 'convencido de que en ningún otro lugar del mundo brilla el sol sobre tantas riquezas''. Lo que dice acerca del interior de Guayana es tan fantástico como lo que dicen los doradistas españoles. En el mapa que incluye en su libro figuran los ewaipanoma, indios que carecen de cabeza, o mejor dicho, la tienen en el pecho. En verdad, quienes han perdido la cabeza son los europeos.
En 1616, Sir Walter sale del calabozo de la Torre de Londres (donde había sido encerrado al morir su protectora la reina Isabel I) y organiza una expedición de 7 buques y más de 800 hombres, que llega a las bocas del

Orinoco a fines de 1617. Enfermo, Raleigh permanece en Trinidad, pero manda al capitán Keymis con cinco buques Orinoco arriba. Va también un hijo de Raleigh de igual nombre que su padre. El 10 de enero de 1618 asaltan a Santo Tomé, cuyo Gobernador, Diego de Palomeque, es muerto. También muere el hijo de Raleigh. Santo Tomé es tomada, saqueada, incendiada. Los vecinos que han podido escapar se refugian en los montes. Regresarán cuando Keymis y sus hombres, que no han encontrado minas de oro, se marchen. El capitán no sabe cómo darle la noticia a su jefe: —Díganle a Sir Walter que no hemos encontrado 'El Dorado', y que su hijo ha muerto. El cortesano le recrimina su fracaso y Keymis se suicida. Raleigh regresa a Inglaterra, donde es juzgado y ejecutado en 1618. Entre tanto, lentamente, Santo Tomé de Guayana renace de sus cenizas en el mismo lugar. Es una frágil base de penetración hispana 'a la entrada de Guayana' —como decía Domingo de Vera— que lucha por sobrevivir y apenas lo logra. Durante mucho tiempo carecerá de recursos materiales y demográficos que le permitan emprender la ocupación efectiva del interior de la región guayanesa. Entre tanto, holandeses y franceses fundan colonias en la costa atlántica, en las bocas de los ríos Esequibo, Corentín, Surinam. Pero tampoco penetran hacia el interior. El corazón de Guayana sigue intocado. Los europeos ni siquiera sospechan la existencia de Wek-tá, 'lugar de cerros', que mucho más tarde será llamado 'la Gran Sabana'. La sed de riquezas que domina a mu-chos de los llegados del Viejo Mundo y el ansia de poder de sus respectivos imperios protegen, paradójicamente, a los indios pemones.

Rivalidades imperiales

Durante las décadas finales del siglo XVI y la primera mitad del XVII la vasta línea de la costa del Atlántico que va desde la península de Paria y el delta del Orinoco hasta la desembocadura del Amazonas, está involucrada en el conflicto que a escala mundial enfrenta al Imperio español con las potencias europeas que aspiran a tallarse sus propios Imperios: Inglaterra, Francia, Holanda. El carácter universal del conflicto se acentúa porque de 1580 a 1640 los Imperios español y portugués, así como las respectivas metrópolis, se hallan unidos dinásticamente, pues Felipe II y sus sucesores son a la vez reyes de España y de Portugal. La lucha, fuera de Europa, se desarrolla sobre todo en el mar, y afecta a las posesiones insulares y poblaciones costaneras de los países en pugna. En América, el epicentro del conflicto está situado en el mar Caribe, pero la presión de las potencias enemigas de España y Portugal se deja sentir también —entre otros lugares— en la región que comprende las costas de la Orinoquia española —hoy venezolana —y de la Amazonia portuguesa— hoy brasileña. Las incursiones de Raleigh y Keymis en el Orinoco, y el establecimiento de colonias francesas y holandesas en la costa de Guayana, que ya hemos mencionado, son parte de ese gran enfrentamiento mundial. Tanto España como Portugal consideran una intrusión inaceptable la presencia de esos europeos en América del Sur. Para la Guayana española, el peligro más inmediato lo constituyen los colonizadores del Esequibo y del Corentín. En este último los holandeses han construido un fuerte y poseen plantaciones de tabaco. En 1613 el Gobernador de Guayana, Antonio de Mujica Buitrón, envía una expedición que destruye aquella colonia. Pero los holandeses regresan a la región al poco tiempo. En 1621, al ser fundada la Compañía Holandesa de las Indias Occidentales, la colonia neerlandesa del Esequibo se fortalece. Cultivan tabaco y azúcar que exportan a Europa, y comercian clandestinamente con los españoles y criollos de Guayana. Un holandés astuto y emprendedor, Aert Groenewegen, establece en 1623 en una isla situada río arriba en el Esequibo un fuerte al cual llama Kijkoveral ('mirador hacia todas partes').

A partir de entonces, aunque la Corona española no acepta por el momento el hecho consumado de la ocupación holandesa, las relaciones entre los colonos del Esequibo y los de Guayana pasarán por alternativas de paz y de guerra, alternando también períodos de relaciones comerciales más o menos clandestinas, y más o menos toleradas por las autoridades hispanas de Santo Tomé, pues oficialmente estaban prohibidas. Al mismo tiempo, Groenewegen inaugura una política de acercamiento con los caribes bravos del Esequibo, del Caroní y del Paragua, a quienes vende machetes y escopetas, incitándoles a atacar a los españoles y criollos de Guayana y de la Nueva Andalucía (Cumaná-Barcelona) y a capturar indios de otras tribus (poitos) que los holandeses les compran cuando se los llevan al Esequibo o al Corentín. A través de los caribes, este comercio de armas (o más exactamente, intercambio de armas por esclavos) se extiende hasta los llanos de Apure y Barinas.

Esta política, que contribuirá a frenar la expansión hispánica en las regiones del Bajo Orinoco, del Cuyuní, del Caroní y del Paragua, da sus primeros frutos cuando en diciembre de 1629 el capitán holandés Adrián Janson Pater, enviado por la Compañía, ataca y toma Santo Tomé, que es incendiada. En esa época había ya en la ciudad, además de la iglesia parroquial, un convento franciscano. Mientras los buques holandeses subían por el Orinoco, Groenewegen enviaba a los caribes del Esequibo a capturar esclavos entre el Cuyuní y el Orinoco. Caribes y holandeses se reunieron en Santo Tomé. Es posible, aunque ningún documento permite afirmarlo, que esas razzias de los caribes belicosos hayan contribuido a que los pemones se concentren más en la zona relativamente inaccesible de la Gran Sabana.

Después del incendio de 1629, Santo Tomé es trasladada a otro lugar, cerca de la desembocadura del Usupamo. En 1637, los caribes del Esequibo, al mando de un teniente de Groenewegen, asaltan a la fortaleza española de la isla de Trinidad y luego a Santo Tomé, cuyo párroco es gravemente herido. Los vecinos huyen. Llegan refuerzos de Bogotá, que reconquistan el territorio perdido. Las ciudades son reconstruidas. En 1639 el Gobernador Diego López de Escobar trata de atraerse a los caribes del Caura, a fin de enfrentarlos a los caribes del Esequibo, y lo logra. "De este modo —escribe Marc de Civrieux— empieza a funcionar una alianza caribohispana en el río Orinoco, para neutralizar la alianza caribo-holandesa del Esequibo". La paz de Westfalia, que pone fin a la guerra entre España y Holanda, y el tratado de Munster (1648), por el cual España reconoce la soberanía holandesa sobre la región costera que va del Esequibo al Surinam, no cambian mucho la situación. Continúa el contrabando, y siguen las correrías de los caribes. A mediados del siglo, Francia, que ya posee varias colonias en las Antillas, envía misioneros jesuitas a evangelizar la región del Guarapiche, como un primer paso hacia la penetración colonial francesa. Son los Padres Dionisio Mesland, Pedro Pelleprat y Antonio Bois du Vert (a quien los españoles llamaban Monteverde) hombres de saber y de virtud que las autoridades hispanas de Guayana saben neutralizar políticamente llamándoles a ejercer su ministerio en Santo Tomé y en Bogotá... Un intento para establecer una colonia y un fortín francés en el delta del Orinoco fracasa en 1656 por la intervención de las tropas españolas. La amenaza de la ocupación francesa del Bajo Orinoco se esfuma, aunque en 1684 la ciudad de Santo Tomé será saqueada por corsarios de esa nación. Las autoridades que en nombre de la Corona de España gobiernan la vasta región guayanesa preservan su territorio a lo largo de la costa que va de las vocas del Orinoco a las del Esequibo. Este último río señala el límite con las posesiones holandesas.

Las Misiones del Caroní

En esa misma década de 1680 se inicia un proceso que habrá de reorientar radicalmente, aunque no de inmediato, la historia de Guayana. Llegan a la isla de la Trinidad los primeros capuchinos catalanes destinados a la evangelización de esa isla, y de la tierra firme guayanesa al sur del Orinoco. En la Nueva Andalucía (Cumaná-Píritu-Guarapiche) actuaban otros Padres franciscanos observantes y de la región de Aragón, y en los llanos de Casanare y del Meta, hasta las orillas del Orinoco, ejercían su ministerio Padres jesuitas —europeos o criollos— cuyo centro estaba en Bogotá. Los capuchinos catalanes eran pocos, al principio, y concentraron su esfuerzo en la isla de Trinidad. Sin embargo, dos de ellos pasaron ya a Guayana en 1682. Uno murió allí mismo y el otro en La Habana cuando volvía a España para solicitar nuevos misioneros. Durante los años siguientes fueron fundados varios pueblos de misión en Guayana por otros capuchinos, pero no lograron arraigar, pues la mayoría de los sacerdotes fallecía a poco de llegar a Guayana. En cambio, las misiones de Trinidad progresaron satisfactoriamente. Fue a partir de 1724 cuando, con un grupo de seis religiosos, las misiones de Guayana —que pronto fueron denominadas 'Misiones del Caroní'— arrancaron definitivamente. Durante esa época hispánica, habrían de durar casi un siglo, hasta 1817. Con algunas reses donadas por vecinos de Barcelona y por los misioneros de Píritu, establecieron un hato que fue la base del sustento de las misiones. En 1732 eran ya cinco los pueblos establecidos, cuya población total era de 1900 indígenas, atendidos por nueve misioneros. Otro pueblo, el de Unata, había sido quemado por los caribes a los dos años de su fundación. En medio de innumerables dificultades, las misiones fueron creciendo y extendiéndose. A esto contribuyó, durante los años 1733-1740, la política del ilustrado militar Carlos de Sucre, Gobernador de Cumaná (que entonces regía también los destinos de Guayana). A la vez que ofrecía aliciente al comercio de los holandeses con Guayana, Sucre organizaba y dirigía la resistencia contra los caribes bravos, que casi dominaban del todo con sus piraguas el curso del Orinoco. Por otra parte, el Gobernador convocó en Santo Tomé a los representantes de las misiones que actuaban en el territorio de su mando o en sus inmediaciones. El 20 de marzo de 1734 se llegó a un acuerdo entre los capuchinos aragoneses, los capuchinos catalanes, los observantes franciscanos y los jesuitas a fin de delimitar sus áreas de misión. A los capuchinos catalanes (que son los que aquí nos interesan, pues en su área estaba el hábitat pemón) les correspondió todo el territorio al sur del Orinoco, desde la desembocadura hasta la Angostura, es decir, hasta donde hoy se halla Ciudad Bolívar. La política de Sucre y de sus sucesores no podía impedir, sin embargo, golpes de mano como el de un buque corsario inglés que a fines de 1740 tomó por sorpresa a Santo Tomé, la conquistó y saqueó, así como dos pueblos de misión vecinos. Tampoco que la misión de Unata, reconstruida en 1747, fuese quemada por los caribes dos años después, o que los indígenas de otras misiones, no forzosamente de etnia caribe, se rebelasen y huyesen al monte, abandonando los pueblos donde habían vivido pacíficamente durante varios años. Una de las mayores crisis que sacudieron a las misiones fue la gran insurrección caribe de 1750, que estalló simultáneamente el domingo 17 de octubre en varios pueblos cuyos habitantes eran total o parcialmente indios caribes. La rebelión, al parecer, había sido instigada —si no orquestada— desde su cuartel general de Kijkoveral por el jefe holandés Storm van's Gravesande, Comandante de las colonias del Esequibo. El estaba asustado por el progreso de los capuchinos en el Cuyuní, donde acababan de fundar una misión en la confluencia con el Curumo. La rebelión —apoyada por flecheros que atacaban desde el exterior— afectó a los pueblos de Curumo, Cunuri, Tupuquén, El Palmar y Miamo, que fueron destruidos y abandonados. Pacientemente, los misioneros prepararon la reconstrucción. A pesar de todo, en 1754 eran 11 los pueblos existentes, cuya población ascendía a unos 3000 indígenas. Sucesivos grupos de capuchinos habían ido llegando a Guayana para reforzar a los ya presentes y sustituir a los que morían. En 1750 había 11, y en 1754 llegaron 9 más. Otros los siguieron. Las 'entradas' en busca de indígenas para conducirlos a las misiones no se detenían. Más bien se intensificaban.

Misioneros y pemones

Son, precisamente, algunas de esas 'entradas' o incursiones llevadas a cabo por misioneros capuchinos en la región media del Paraguá y del Caroní las que los ponen en contacto con indígenas que, a juzgar por todos los indicios, podrían haber sido parte de la gran familia pemón. Entre esos misioneros se destaca el Padre Benito de La Garriga, nacido hacia 1711, quien llegó a Guayana en 1745. Sus hermanos en religión le eligieron cinco veces Prefecto de las Misiones. Como tal, le correspondió colaborar con la Comisión de Límites con el Brasil, cuyo jefe era el oficial vasco José de Iturriaga. Promovió igualmente la expansión de las misiones hacia el este y el sur-este, a fin de cerrar el paso a los proyectos expansionistas de los colonos holandeses y a las depredaciones de sus aliados caribes. En 1771, al terminar su tercer período como Prefecto, el Padre de La Garriga fue nombrado misionero de la Villa de La Barceloneta (hoy La Paragua) a orillas del río Paragua. El 16 de febrero formó en Guri una expedición en la cual le acompañaban otro capuchino, fray Tomás de Mataró, 14 vecinos de Upata y 25 indios caribes de Guasipati, éstos como bogas y flecheros. Navegando río Caroní arriba, dejaron atrás las bocas del Paragua y el 2 de abril entraron en el río Ikabarú. A los siete días, debido a las dificultades que presentaban los raudales,

decidieron continuar a pie, y entregaron las curiaras a unos indios barinagotos para que las llevasen a Guri. Siguieron seis días 'por los montes' y llegaron a "las grandes sabanas o llanuras de la Parime". Encuentran indígenas de nación paraguayán, saparas y mapisanas, pasan la Pascua con ellos, y luego, cuando se aprestaban a continuar el viaje, los saparas los agreden a tiros el 8 de mayo. Aunque se defienden y logran repeler el ataque, se produce la desbandada de una parte de la escolta de los misioneros, quienes regresan a toda prisa al Ikabarú. Pero se pierden en el monte, por donde deambula el grupo 15 días, alimentándose de las frutas de la palma píritu y de alguna yuca que encuentran en conucos abandonados. Por fin llegan a la confluencia del Caroní y el Paragua, construyen curiaras de corteza de árbol y el 4 de julio llegan a Guri, donde ya les creían muertos. Habían estado en los linderos de las tierras de los pemones. En su informe, el Padre de La Garriga escribe: "Desde la misma boca de la Paragua todas estas tierras hasta Mayarí y las que se dejan a la izquierda hasta Esequibo, toda la tierra está regada de Naciones. En el dicho camino hallé barinagotos, cucuicotos, ipurugotos, mapisanas, y esto sin salir de la orilla del río Caroní e Ikabarú. Se matan mucho unos con otros; y hallamos casas vacías, en que estaban las hamacas colgadas con los huesos de muertos y cabezas rotas a macanazos". En otro lugar dice que muchos de aquellos indígenas trataban con los holandeses, de quienes recibían 'armas de fuego, ropas y hierros' a cambio (dice fray Benito) de 'poitos o esclavos'. No todos los indígenas que vieron serían pemones. Tal vez éstos fueron los menos numerosos. Pero la mención de los barinagotos, cucuicotos e ipurugotos, con su característico sufijo de lugar 'koto', propio de la lengua pemón, indica que los dos misioneros estuvieron en contacto con pemones. Tanto Armellada como Thomas son claros al respecto: los sufijos-koto, -goto, -kon, -pon, -kok significan 'habitantes de', 'gente de'. Thomas, basándose en Armellada, escribe: ''Así, las referencias a partes de la 'tribu' pemón o 'tribus' en el área de la Gran Sabana y el valle del Caroní como ipurugotos, cucuicotos, kukuikok, barinagotos, pichaukok, son, con toda probabilidad, referencias a subgrupos locales o regionales de los pemón''. Aunque los que agredieron a los misioneros fueron los saparas, es muy probable que lo dicho acerca de la generalización de las armas de fuego incluyese también a los pemón. Y es probable también que por aquellas fechas éstos tuviesen incorporada ya a su vocabulario la palabra con que designan a los holandeses: paranaquire.

No fueron los Padres de La Garriga y de Mataró los únicos que penetraron en el territorio pemón. Aunque con menos detalles que en el caso de la 'entrada' que se acaba de describir, las crónicas de las antiguas Misiones del Caroní mencionan que en 1769 y 1770 otros dos capuchinos, fray Félix de Vilanova y fray Joaquín de Martorell, habían subido por el río que llamaban Chibau (probablemente el actual Chiguao, afluente del

Paragua) y habían alcanzado el río Antavari. Otros dos sacerdotes, fray Joaquín de Barcelona y fray Leopoldo de Barcelona, 'subiendo por el río Supamo y remontando un cerro muy alto' —según relatan las crónicas— alcanzaron en 1780, al parecer, las sabanas de Kamarata.

Otra muy notable expedición fue la de fray Mariano de Cervera y fray Bernardino de San Feliu, llevada a cabo en junio y julio de 1788. Les acompañaban seis soldados y una treintena de indios arinagotos, ya pertenecientes a las Misiones. Partiendo del río Paragua remontaron el río Chibau (Chiguao) y algunos afluentes de éste, en dirección al río Caroní. Cuando ya no pudieron seguir navegando por la escasez de las aguas, continuaron por tierra, arrastrando las canoas, a través de 'un cerro muy alto' y 'seis leguas de sabana', hasta alcanzar las orillas del Caroní. Lo hicieron —escribe fray Mariano en su relato— ''frente a unos cerros llamados Yavar, que parecen artificiales, según lo que tienen de torres y castillos''. Navegando luego Caroní arriba, exploraron las bocas de varios de sus afluentes, hasta llegar al río Caporé, donde fray Bernardino se quedó con las curiaras, mientras que su compañero y la mayor parte de la comitiva continuaban a pie, guiados por un baquiano, monte arriba. Antes de salir, el Padre Mariano hizo repartir raciones de carne (tasajo) y de casabe, y luego él, que era muy corto de estatura pero muy alto en valor, animó a su gente del modo que él mismo relata así: ''Viendo yo que en los indios había alguna timidez, me volví a los oficiales y les dije:

—¡Ah, vosotros, Oficiales, escuchadme bueno! Si los indios del monte me matan a mí o me cortan alguna pierna o brazo, vosotros mismos me habéis de cargar hasta la Misión dentro de un mapire. Es el mapire —explica fray Mariano— un instrumento como cesta. Y como ellos considerasen que yo, por ser chico, podía caber dentro, todos se pusieron a reír; y luego gritaron a grandes voces: —¡Padre chiquito, bueno; Padre chiquito, guapo! ''Después de varios días de marcha encuentran una casa dónde sólo hallan una mujer y dos niños. Más allá, otra, con 'un viejo, dos mujeres y tres criaturas'. Cuando regresan los maridos, son capturados. Eran, dice fray Mariano, ''unos hombres muy grandes, y luego que llegaron, sin más ceremonias se sentaron en tierra y empezaron a hablar... Yo (agrega) les iba preguntando y ellos respondiendo, riendo''. Fray Mariano conocía algunas lenguas indígenas, entre ellas el pemón, que debió aprender de alguno de los indios 'reducidos' que estaban en las Misiones. El día siguiente rodean un poblado, y en medio de 'todo un llanto de criaturas y perros' logran capturar a más de ochenta indios, chicos y grandes. Al misionero, quien no hace al respecto ningún comentario, le parecía normal que los indios tuviesen perros. Estos bien podían ser descendientes de los animales precolombinos llamados 'perros de monte', domesticados; pero también podría tratarse de descendientes de los perros europeos, obtenidos por los indígenas. La domesticación del perro de caza por los indígenas del interior de Guayana es un asunto todavía no aclarado: algunos estudiosos (Civrieux) opinan que ya los tenían antes de la llegada del europeo; para otros (Thomas) sólo ocurre después de la época de la conquista. En todo caso, ya los tenían, y al parecer en buen número, cuando se produjo el encuentro con los misioneros del Caroní. Un año después, desde abril hasta agosto de 1789, fray Mariano de Cervera realizó otra 'entrada' en los mismos lugares, esta vez acompañado por fray Félix de Vic. Partiendo del pueblo de misión de San Pedro de las Bocas, situado cerca de la confluencia del Paragua y el Caroní, subieron por éste último y llegaron mucho más lejos que el año anterior. Esta vez la expedición era bastante más fuerte, pues además de los dos sacerdotes iban un centenar de personas entre soldados, 'ayudantes' criollos o mulatos e indios arinagotos, ya reducidos, de las Misiones del Caroní. En esas expediciones figuraban con cierta frecuencia 'ayudantes' negros o mulatos que vivían en la villa de La Barceloneta (hoy La Paragua) y eran hombres libres. Entre ellos y los indígenas selváticos existía una mutua antipatía. Ambos grupos se temían, como lo sugiere el hecho de que cuando los Padres de La Garriga y de Mataró fueron atacados a tiros por los indios (como se ha relatado más arriba) uno de los primeros en huir fue un 'mulato español' —es decir, criollo— que no paró hasta llegar a las Misiones. La 'entrada' de los Padres de Cervera y de Vic se hizo Caroní arriba, venciendo los obstáculos que interponían varios raudales, entre ellos el que fray Mariano llamaba en su informe Ariua, el cual ''tomando todo el ancho del río, que es mucho, parece que cae de encima un muro sin poder pensar de subirlo ni bajarlo por agua, bien que por tierra tiene un buen varadero y corto para pasar las curiaras y trastes''. Es el salto Arivé, también llamado 'de las Babas', en las márgenes del cual existen hoy –y debieron existir también entonces– unos petroglifos que al parecer no llamaron la atención de los misioneros, si es que los vieron, pues nada dicen acerca de ellos. Más arriba empieza a escasear la carne salada que llevan, pero topan con una manada de puercos de monte (puinkas) que cruzan el río Caroní y logran cazar casi cincuenta. Dejan el Caroní y siguen por el Ikabarú, donde a los cinco días capturan a los primeros 'indios del monte': son dos 'muchachones de unos veinte años', que bajaban pescando. Ahora los misioneros ya tienen baquianos de la región. Más adelante consiguen un grupo que también pescaba, formado por varias familias, y logran retener a la mayor parte, aunque algunos huyen. Los indios de aquellos parajes están recelosos, porque poco antes algunos barinagotos que se habían fugado del pueblo de misión de Santa Clara habían esparcido la voz de que los indios ya reducidos del pueblo de San Pedro de las Bocas (misión de barinagotos) querían matar a los del monte. Cunde el pánico, como en esas noches lluviosas y sin luna en que los kanaimás, emboscados en la oscuridad, atacan, hieren y mutilan, sin rematarlos, a los caminantes desprevenidos. Fray Mariano relata un episodio de violencia y venganza. Al parecer, los indios selváticos de la región del Ikabarú habían matado al capitán o cacique de San Pedro, de nombre Itinarey. ''Pero esta muerte y otras que hicieron –escribe el misionero– ya quedaron vengadas con otras tantas, porque fueron algunos españoles y caribes con los de las Bocas para coger los matadores, y allí mismo los mataron, que aun nosotros hallamos los huesos''. Los misioneros hablan con los kaipuna –es decir, la gente madura, la gente de respeto– del grupo que han logrado reducir. Luego siguen adelante, y entran en el Parkupit, un riachuelo que vierte sus aguas en el Ikabarú por la margen izquierda, y después exploran el curso del caño Casicapra. Pero un indio de los que habían logrado huir cuando realizaron las primeras capturas, se les ha adelantado y va sembrando la alarma. Encuentran las viviendas vacías, y a veces incendiadas. La expedición se asienta en un poblado donde consiguen algunos indios más, y desde allí el Padre de Cervera sigue solo con un grupo de voluntarios. En todos los idiomas indígenas que conoce les advierte que si piden carne les dirá: ''ante man; ipra; uase; equirá: –¡No hay!''. De estas expresiones, la primera pertenece al idioma pemón y significa, en efecto –según el Diccionario de los misioneros contemporáneos Armellada y Gutiérrez– eso mismo: ¡No hay!; lo cual nos permite deducir que en el grupo que le acompañaba tierra adentro, siguiendo de nuevo el curso del Parkupit, había uno o varios indígenas de lengua pemón. Caminan varias jornadas bajo torrenciales aguaceros, comiendo guamas, así como pescados chiquitos ('sardinita') y a veces carne de puinka, o maíz tierno que ha retoñado en algún conuco abandonado. Los baquianos, que conocen bien la región, informan que más lejos hay un poblado, y cuando a él llegan encuentran a los indios en plena fiesta, bebiendo y bailando. El Padre se alegra mucho, pues como escribe en su relación, ''estando los indios así no hay peligro de resistencia, ni hay que temer daño de una ni otra parte''. En efecto, los capturan a todos, que son 76, a tiempo que se desata una violenta tempestad. Indios y europeos y criollos quedan empapados, especialmente el misionero, pues los capuchinos visten en toda ocasión su hábito. Fray Mariano, buen observador, había notado que cuando ellos se acercaban al poblado había en el cielo un alboroto de aves que él no conocía. Preguntó, y le explicaron que esas aves avisaban a los indios, revoloteando cuando se acercaba gente extraña, y que por esto los llamaban kumarat, 'que quiere decir —anota el Padre— gente viene'. No sé hasta qué punto la etimología sea verdadera, pero en pemón la voz kumará designa hoy al ave de rapiña conocida como gavilán-tijereta. Esto confirma que efectivamente se hallaban en la Gran Sabana o en sus inmediaciones, en todo caso en un territorio cuyos indígenas hablaban pemón y eran, por consiguiente, pemones. Volviendo al relato del misionero, es preciso decir que él preguntó por qué esta vez las aves no habían avisado a los indios, ya que los agarraron desprevenidos. Y la respuesta —¿en serio? ¿con su pizca de sano humor aborigen?— fue que sí habían avisado, ''pero que la gente no los escuchó porque es-

taban bailando''. Algunos días después se reúnen de nuevo con fray Félix de Vic y emprenden el viaje de retorno a bordo de 40 embarcaciones. Una verdadera flotilla. Son, en total, 326 almas, de las cuales 257 son indios recogidos durante la expedición. En San Pedro de las Bocas los reciben con música. Los 'nuevos' quedan incorporados a este pueblo de misión. Un pueblo que, según las relaciones contemporáneas, era de indios barinagotos. Se tiene la clara impresión de que los aborígenes que entonces eran llamados barinagotos pertenecían al grupo de los que hoy llamamos pemones. Recuérdese lo que antes se ha dicho acerca de los gentilicios locales del grupo pemón, terminados en -koto o -goto.

Una serie de hechos llaman la atención en el relato de fray Mariano de Cervera, como en los de otros misioneros. Una india cuyos esposo y madre han sido capturados, logra huir, pero permanece cerca de los suyos, en el bosque, hasta que es descubierta y capturada también; lo primero que hace es preguntar por su madre. Un indio que habían apresado huye y se lanza al río; como no lo ven salir, otros indios presumen que se ha ahogado, pues de lo contrario no hubiese dejado de volver, ya que su familia —mujer y cuatro hijos— está en poder de los europeos. Una mujer en avanzado estado de gravidez carga a un hijo de 15 años que está tullido; cuando da a luz, la criatura muere al poco tiempo, aunque llega a recibir el bautismo. Estos hechos —y muchos otros que se podrían mencionar— demuestran uno de los rasgos culturales más nobles del pemón: su apego a la familia. Un rasgo que se manifiesta a lo largo de su historia, y que está igualmente presente en sus leyendas, en sus cuentos, en sus tarén.

Ha culminado una etapa de la historia humana de la Gran Sabana y la cuenca alta del Caroní. En algún lugar de esa vasta región de impresionante belleza, cerca del Parkupit, el diminuto capuchino de hábito embarrado, convertido por la lluvia en más pesado que el plomo, pero a quien impulsa la fe que arde en su corazón, conversa en pemón con el indio desnudo o poco menos, que camina a su lado. Este es uno de los kaipuna del poblado, hombre sabio que conoce –por experiencia y por tradición– los secretos sencillos y profundos de las tierras y las aguas, de los vientos y las aves... ¿Los kumará? Sí, ellos avisan, dice el indio. El misionero es, tal vez, un poco escéptico. Pero, observador sagaz, no deja de notar luego que durante los días que él y sus compañeros permanecen en el pueblo, las aves se han quedado tranquilas, sin alborotar. Ahora, el misionero le habla al indio del Dios uno y trino de los cristianos.

No sabemos qué palabra empleará para nombrarlo en pemón. No es probable –aunque no imposible, por supuesto– que se valiese de la expresión potori-tó ('El Señor de todos nosotros'), formada sobre la voz pemón potori (padre, progenitor, señor, jefe); pues potoritó, hoy ya sin guión, con el significado específico de Dios, fue introducida por los sacerdotes capuchinos castellanos que a partir de 1924 retomaron y ampliaron, después de un siglo largo, la misión evangelizadora de los misioneros catalanes del período hispánico.

Para aquel pemón anónimo del siglo XVIII, un ser cuya existencia fue muy real e histórica, aunque nunca sabremos su nombre, el concepto del Dios de los cristianos es bien difícil de captar. Su mundo anímico está poblado de seres invisibles que son, muchas veces, la personificación potenciada de las fuerzas naturales, y en otras ocasiones el reflejo de temores reales –o que en algún tiempo lo fueron– o ficticios. Son los awoineripue, de hábitos nocturnos, que se alimentan de cadáveres, los aramari, seres fabulosos mitad hombre mitad serpiente, o la viejita akuamari, personaje mitológico al cual consideran el alma de la yuca. El misionero escucha, aprende, habla, actúa. El sabe aguardar, pues trabaja para la eternidad. El siembra, ora y espera. La espera será larga, pero el grano no morirá.

Hacia aquellos años, la cartografía empieza a hacerse más exacta, menos fantasiosa, más apegada a la realidad geográfica. El joven lego capuchino fray Carlos de Barcelona dibuja en 1771-1772 un mapa del territorio misional del cual ya hemos hablado. Es el rotulado ''Tierras pertenecientes a la conquista de los Reverendos Padres capuchinos catalanes de la Guayana desde el río Orinoco hasta la equinoccial''. Los datos que contiene están basados en las noticias proporcionadas por el Padre prefecto Benito de La Garriga, quien las ha recibido en parte de los indios y también de las expediciones de militares y civiles que durante aquellos años organizaba el Gobernador de Guayana, Manuel Centurión, a fin de atajar el paso a los holandeses del Esequibo y a los portugueses del Brasil. En el mapa de fray Carlos figura el 'Serro Auyán', o sea el Auyantepui, y debajo de él dos letras mayúsculas colocadas en orden vertical: una N y una M. En el mapa hay otros grupos de dos letras, colocados verticalmente, una de las cuales (la que está encima) es una N en todos los casos, y la otra siempre diferente. Es obvio que refieren a unas notas que acompañarían al mapa, las cuales no se han encontrado. La N(ota) M podría corresponder, según opina el Padre Hermann González Oropeza en su Atlas de la Historia Cartográfica de Venezuela, al salto Churúnmerú, llamado hoy Salto Angel. Al este de donde está dibujado el cerro Auyán aparece la mención 'Tierras desiertas', las cuales se extienden hacia el sur. Esta denominación se aplica, por lo menos en parte, a la Gran Sabana y sus aledaños. 'Desiertas' no significa forzosamente despobladas, sino de población dispersa. En este mismo mapa, al este del río Esequibo se anota: 'Tierras de las colonias holandesas'. Al respecto escribe el Padre González Oropeza que "todo esto confirma la precedencia hispánica en el conocimiento de la región". Además de ser el más antiguo mapa conocido donde aparece señalado e identificado el Auyantepui, en él también está correctamente ubicada la región de la actual Gran Sabana, con sus límites orográficos del norte y del sur, aun cuando se le dé el calificativo de 'Tierras Desiertas'. Como lo han demostrado los informes de los propios capuchinos, no eran tan 'desiertas'. Fray Tomás de Mataró, el mismo que había

acompañado en 1772 a fray Benito de La Garriga en la 'entrada' antes descrita, recordaba más tarde que a orillas del río Carrao (que él llama Carap), en su confluencia con el Caroní, "hay muchas indiadas de la nación kamaragota". Más lejos, en el mismo documento, insiste varias veces en destacar que a lo largo del curso del Caroní, desde su confluencia con el Paragua hasta el Ikabarú, "es mucha la indiada que hay kamaragota, que para conquistarlos es imposible sacarlos por este río", o sea el Caroní. Sólo se podían sacar, decía fray Tomás, por el río Supamo. Este no era un afluente del río Caroní, sino del Yuruari (perteneciente a la cuenca del Cuyuní), pero las cabeceras del Supamo distaban apenas cinco kilómetros del cauce del Caroní. También, decía, se les podía capturar por el Kama, que vertía sus aguas en el Apanguao, o más al sur por el Chiguao (o Chibau), afluente del Paragua. Aunque no consta que el Padre Tomás de Mataró hubiese viajado al lugar en persona, él declaraba que una de las principales cabeceras del Caroní era el río Apanguao, que nace en la Sierra de Lema y se une luego al Kukenán. Todo esto nos dice que las expediciones de los misioneros, venciendo grandes dificultades, estaban empezando a penetrar en la región de los pemones, desde el norte, el oeste y el suroeste, aunque no llegaron a atravesar por el corazón de la Gran Sabana. Pero en todo caso el contacto estaba hecho, y bien hecho, entre pemones y misioneros. Lo demás era cuestión de tiempo. De tiempo y de constancia, pues con cierta frecuencia los indios pemones ya reducidos, bien se les denominase barinagotos, kamarakotos o de cualquier otro modo, huían de las misiones para regresar a su libre existencia en su primer hábitat. Fray Ramón Bueno, quien estuvo activo de 1785 a 1804 en las misiones del Orinoco —aunque no en la región del Caroní, sino más al norte— decía que los indios kamarakotos (y también los guaicas) se fugaban continuamente a los montes. En 1788, el Gobernador de Guayana Miguel Marmión declaraba que los indios, en general, preferían ''vivir siempre errantes o emboscados en la espesura de sus montes y selvas, y sobre todo por su apego y sumo amor a la independencia''. Pero poco a poco el ámbito de la acción evangelizadora se ampliaba, y parecía un asunto de tiempo el que los pemones, como otros indígenas, quedasen incluidos en el territorio que ocupaban las misiones.

¡Tanno, Roroimá, Tanno!

De repente, el reloj de la historia se detuvo, y hasta pareció dar marcha atrás. A mediados de 1810 las Misiones del Caroní contaban unas 19000 almas: 18000 indios y un millar de 'blancos, mestizos y de color'. Desde 1724 habían sido fundados 43 pueblos, de los cuales existían entonces 28. Pero la Guerra de la Independencia, que en 1810 apenas estaba empezando, acabó con las misiones y con las vidas de no pocos misioneros en 1817. Luego, a partir de 1819 con la etapa gran-colombiana, y después de restaurada la República de Venezuela en 1830, las prioridades fueron otras, aun cuando no faltaron leyes relativas

al indio, tanto el ya aculturado que residía en pueblos y resguardos como el que vagaba libre por sus tierras ancestrales. Pero la Gran Sabana —que entonces ni siquiera se llamaba así— ¡estaba tan lejos de Caracas, y hasta tan 'lejos' de Ciudad Bolívar! La acción de los exploradores se dirigió sobre todo al Orinoco, y Wek-tá, 'lugar de cerros', volvió a quedar aislada, o poco menos, del resto de Venezuela. Por el sur llegaban a veces los portugueses —que ahora ya eran brasileños— como lo hacían en tiempos de la colonia. Los pemones los llamaban karaiba. Del este venían los británicos, que en 1814 le habían arrancado a Holanda sus posesiones, las cuales se extendían hacia el oriente a partir de la ribera derecha del río Esequibo. Eran los inkarikok, según decían los pemones. Para éstos, los venezolanos seguían siendo 'españoles', o sea chipanioros. Las personas de origen o de cultura occidental solían recibir el nombre de te-pon-ken, 'el que va vestido', independientemente de su nacionalidad. A mediados del siglo XIX el viajero Robert H. Schomburgk estuvo en territorio pemón, pues en dos ocasiones visitó la región del Roraima. Este explorador y naturalista alemán, al servicio de la Real Sociedad Geográfica de Londres con el apoyo del Gobierno británico, realizó de 1835 a 1839 y de 1841 a 1843 varias expediciones por el interior de la Guayana Británica propiamente dicha (las antiguas posesiones holandesas, que hacia 1828 adoptaron aquel nombre como colonia de Inglaterra) y también penetró en diversos territorios pertenecientes a la Guayana venezolana (la Orinoquia) y a la Amazonia brasileña. Como resultado de estas actividades, Robert H. Schomburgk elaboró un mapa donde señalaba arbitrariamente la línea fronteriza entre aquella colonia y la República de Venezuela, situándola mucho más al oeste del curso del río Esequibo, que era la frontera histórica y geográficamente establecida desde el tratado de Munster (1648). Fue la llamada 'seudo-línea Schomburgk'. Al respecto, es conveniente destacar —aunque nos apartemos ligeramente del tema— que desde 1822-1824, durante las negociaciones entre el Reino Unido de Gran Bretaña y la nueva República independiente denominada entonces Colombia (la 'Gran Colombia', que estaba formada por las actuales naciones Venezuela, Colombia, Ecuador y Panamá) el gran Canciller venezolano Pedro Gual había declarado de manera inequívoca —sin la menor oposición de la contraparte— que ''este bello y rico país se extiende por la Mar del Norte desde el río Esequibo, o confines de Guayana, hasta el río de las Culebras, que lo separa de Guatemala''. El Dr. Pablo Ojer, estudioso de la vida y la obra de Schomburgk, afirma: ''Los sentimientos contra las funestas actuaciones de este notable explorador y naturalista, en cuanto afectaron a los legítimos derechos territoriales de Venezuela, no pueden inducirnos a olvidar sus méritos científicos como naturalista y geógrafo autodidacta''. Aquí, él nos interesa sobre todo en tanto que explorador del Roraima. En el curso de las expediciones del primer período recorrió parte de la Sierra de Pakaraima a fines de 1838 y llegó cerca del Roraima, lugares en los cuales realizó observaciones durante casi un mes. Luego se dirigió al río Padamo, y por éste entró al Orinoco hasta la población venezolana de La Esmeralda, ya muy lejos del territorio pemón. En el segundo período, durante los meses de octubre y noviembre de 1842, Schomburgk y su grupo —en el cual figuraba su hermano Richard, ornitólogo— penetraron hasta el valle del río Kukenán y allí establecieron un campamento para intentar el ascenso del Roraima. Sus guías pemones señalaban con orgullo la elevada mole del tepuy, y les decían: 'Tanno, Roroimá, tanno'. Grande (es) el Roroima, grande. Porque debe decirse que si bien el nombre ya aceptado de aquel monte es Roraima, los pemones siguen llamándolo Roroima. ''Cinco días —escribe Ojer— emplearon en el intento de escalar su cumbre, pero al fin tuvieron que desistir''. Le llamó la atención al viajero prusiano que aquella mole era como un inmenso surtidor, del cual manaban corrientes de agua que iban a parar a las hoyas del Orinoco, del Amazonas y, en menor escala, del Esequibo. Otros exploradores siguieron los pasos de Schomburgk, como su compatriota Karl Ferdinand Appun, de grato recuerdo en Venezuela, adonde vino por recomendación del sabio Alejandro de Humboldt. Hacia 1864, partiendo de Georgetown, Appun alcanzó el Roraima, que no llegó a escalar, pero del cual hizo un interesante dibujo. Aunque los pemones no eran muy inclinados a salir de su territorio tribal, se sabe que algunas veces lo hicieron, sobre todo desde que un largo período de paz

—que aún perdura— se inició a partir de los años 1840 con la declinación de la agresividad caribe. En 1863, los habitantes de un pueblo de misión protestante de las cabeceras del río Moruca vieron llegar a un grupo de 70 indígenas, akaguayos la mayoría; pero había también algunos pemones (arekunas), a quienes nunca habían visto allí antes, que bajaban —decía un informe— ''desde las tierras altas entre las fuentes del Cuyuní y el Caroní''.

Oro y diamantes

Durante la época colonial, la buena fortuna había deparado a más de uno el hallazgo de pepitas de oro en los ríos guayaneses, sobre todo en la región del Yuruari. Pero la explotación aurífera sistemática no comenzó sino hacia 1850-1860, en las minas del Callao. Durante los años 1870-1885 aquellas minas fueron las de mayor rendimiento en el mundo. Esta intensa actividad minera, en un sector situado bastante lejos de la Sierra de Lema, límite septentrional de la Gran Sabana, no parece haber tenido repercusiones entre los pemones. Al parecer, la palabra oro no tenía traducción en su idioma. En cambio, hacia aquellos años penetró en su territorio, procedente del sur a través de los makushi, o por el valle del Kamoarán, el movimiento religioso del areruya (aleluya), síntesis de elementos cristianos protestantes y de aspectos tradicionales de la mitología y el shamanismo de los caribes. Una de las manifestaciones principales del areruya eran las danzas colectivas. En diciembre de 1884, los exploradores

Everhard F. Im Thurn y Harry I. Perkins, procedentes de la Guayana Británica, fueron los primeros hombres blancos que lograron llegar a la cumbre del Roraima, una vasta plataforma de sobrecogedora soledad humana, con extraordinarias especies animales y vegetales. Nunca se ha sabido si algún indígena había ascendido antes al Roraima. Se cree que no. En todo caso, no se han encontrado rastros de ello. En los informes científicos de Im Thurn, publicados en 1885, se basó el escritor Arturo Conan Doyle, antes mencionado, para crear su fantástica novela El Mundo Perdido. En verdad, lo era.

También desde el norte se avanzaba nuevamente hacia las tierras ancestrales de los pemón. En 1890 el General venezolano Nicolás Meza llegó hasta las sabanas del Acanán, afluente del Carrao, e informó que en el Valle de Kamarata vivían un millar de arekunas. En 1894 el propio Meza llevó a cabo otra expedición a través de la Sierra de Lema, navegando por el Carrao y el Acanán, y calculó en 30000 el número de indígenas de esa región, lo cual era manifiestamente exagerado.

A comienzos del siglo XX se encontraron diamantes en los cauces y las riberas del Caura, el Paragua, el Caroní y el Carrao. Esto despertó el interés de algunas personas, que empezaron a pensar en la posibilidad de que 'bombas de diamantes' existiesen entre los afluentes y en las cabeceras del Caroní y del Carrao, es decir, en las regiones altas que luego fueron llamadas la Gran Sabana. Entre esos hombres de espíritu aventurero estaban los venezolanos Francisco (Pancho) Grillet,

Lucas Fernández Peña, otro a quien llamaban 'El Morocho' Lezama y un representante de comercio catalán, Juan María Mundó Freixas, quien había llegado a Venezuela en 1907 y a Ciudad Bolívar algo después. En aquellos años ya circulaba el libro de Elías Toro 'Por las selvas de Guayana', editado en Caracas en 1905. Se ha dicho también que un oficial de marina venezolano, el teniente retirado Ernesto Sánchez La Cruz, fue el primero (excepción hecha de los aborígenes, por supuesto) en ver el Salto del Churún Merú, y que en 1910 habría depositado en la Casa Blohm de Ciudad Bolívar un croquis donde estaban figurados los cursos de los ríos Acanán, Churún y Carrao. Este dibujo, que no se ha encontrado hasta el presente, sería un valioso testimonio.

Un alemán en el Roraima

Desde el sur, a través del territorio del Brasil, un científico alemán, el etnólogo y antropólogo Theodor Koch-Grünberg, partiendo de Manaos y del Río Branco, llegaba al Roraima y al sector meridional del territorio pemón en septiembre de 1911. El mismo narra en su Diario (que en 1917 publicaría en Berlín en el primer tomo de su obra Von Roroima zum Orinoco) la emoción con que divisaron a lo lejos aquella célebre montaña: ''Escalamos una escarpada sierra de piedra arenisca, que va de oriente a occidente y que desciende en terrazas hacia el sur. Jadeando trepamos hasta la cima. '¡Roraima! ¡Roraima!', gritan jubilosamente los indios. Todavía muy lejos, pero nítidamente visible en la atmósfera clara está la meta delante de nosotros. La mirada pasa embriagada por la vasta altiplanicie y se clava en el gigantesco grupo montañoso del Roraima, que se eleva muy por encima de sus alrededores y que sorprende por su peculiar forma. Semejantes a gigantescos castillos, a más o menos 1500 metros por encima de la meseta circundante, dos colosos rocosos separados entre sí por un desfiladero profundo. Los indios llaman Kukenáng (Kekenán) a la roca occidental, la oriental es el verdadero Roraima''. Siguen adelante hasta llegar al valle del Kukenán. Los aborígenes de la región, pemones meridionales que el etnólogo europeo denomina taulipáng, le hablan de 'Samburukú', un hombre blanco a quien en una ocasión los pemones le sirvieron para comer un mono aullador asado (un animal que ya cocinado mostraba sus dientes y quedaba abierto de brazos y piernas), el cual fue rechazado con horror por 'Samburukú'. Por fin, Koch-Grünberg cae en la cuenta de quien es éste: ¡le están hablando de Schomburgk, que había pasado por allí 70 años antes! Comenta el viajero: ''Y con todo esto, ¡aún hay gente que alega que los pueblos primitivos no tienen ninguna tradición!''. En su marcha, Kukenán arriba, admiran la cascada que los indios llaman Morok-merú, o Salto de los Peces, porque (explican poéticamente los pemón), éstos se reúnen allí en la época de las primeras lluvias para celebrar sus fiestas bailando. Es, desde luego, uno de los lugares adonde van a desovar los peces 'aruma'. Lo poético de la imagen —uno se imagina peces de plata que bailan a la luz de la luna, en medio de rugiente espuma— se desvanece cuando los indios cuentan, muy realísticamente, que esa es la ocasión de pescar con barbasco grandes cantidades de aruma. En dos poblados pemón al pie del Roraima, no muy alejados entre sí, que el alemán llama Denóng y Kamawáyeng o 'pueblo del Roraima', los expedicionarios son recibidos cordialmente. Los habitantes de los dos lugares se tratan y visitan, pero Koch-Grünberg observa que hay cierta rivalidad entre ellos. Los taulipáng —dice el alemán— son de facciones más finas que otros indígenas, los hombres esbeltos, las mujeres realmente hermosas: 'sería muy difícil la selección' de la más bella. De hecho, en uno de los poblados se lleva a cabo 'una competencia de belleza' que es ganada por 'la linda hijita' del piasán Katura, a la cual Koch-Grünberg le entrega solemnemente una muñeca traída de Alemania. En Denóng celebran una fiesta. Los pemones bailan el típico parichará en honor de los recién llegados. El alemán escribe: ''Es un espectáculo cautivador: estas bellas figuras desnudas de hombres y mujeres con sus movimientos rítmicos y, en el fondo las rocas oscuras del Roraima cubiertas de pesadas y sombrías nubes de tempestad''. Los indios les ofrecen puinka asado con ají, casabe recién hecho y grandes camazas de un 'refrescante y ligero líquido rojo oscuro', el cachirí. Las mujeres les incitan continuamente a beber: —¡Wo, pi-pi!— ¡Vamos, hermano! Sobreentendido: ¡bebe! Koch-Grünberg, que permanece sobrio, toma numerosas fotografías. Dos jóvenes indígenas, a quienes proporciona papel y lápices, hacen muchos dibujos para él, de plantas, utensilios, viviendas, así como mapas de la región. También en el otro poblado se celebra una fiesta con bailes, pero éstos son —escribe el viajero— ''los atípicos bailes de 'araruya', en corro, triste caricatura del parichará en Denóng''. Dos pemones que conocen el camino hasta la cima del Roraima son enviados a despejarlo de malezas. El 7 de octubre de 1911, Koch-Grünberg y su compañero Hermann Schmidt, con dos indígenas de la expedición y seis pemones, emprenden el ascenso, después de atravesar la selva húmeda que cubre el pie del Roraima. Al cabo de cuatro horas y media, calados hasta los huesos por una lluvia pertinaz, llegan a la cima. Hace frío y no logran prender fuego. Calculan que están a unos 2600 metros sobre el nivel del mar, y a más de 1300 del pueblo del Roraima. En la cima hay 'rocas grotescas', resultado de la erosión, que semejan gigantescos hongos o figuras humanas o de animales desmesuradas, o los corroídos muros de un castillo en ruinas. Al cabo de una hora, emprenden el descenso. Pocos días después, Koch-Grünberg y sus compañeros se despiden de los pemón, y se marchan hacia el Alto Suruma. Dos jóvenes makushis, miembros de la expedición, dejan en Denóng sus chinchorros nuevos como ofrenda de amor a dos muchachas pemón, como gaje de que volverán allá un día. —¡Adiós, roca rosada! exclama Koch-Grünberg, echándole al Roraima una última mirada.

La obra de este explorador alemán ofrece una visión científica y llena de emoción humana, realzada con interesantes fotografías sobre la vida de los pemón del sur.

Vuelven los misioneros capuchinos

Durante esos años, de 1910 a 1920, misioneros cristianos alcanzan el ángulo sur-este de la Gran Sabana, desde sus misiones ya establecidas en el Brasil o en la Guayana Británica. Algunos son protestantes, como el misionero Adventista O.E. Davis. Otros católicos, como los Padres Benedictinos del Brasil y el Padre Jesuita Ignacio Cary-Elwes. Entre tanto, el Gobierno de Venezuela, durante la larga presidencia provisional del Dr. Victorino Márquez Bustillos, adopta a partir de 1915 medidas encaminadas a restablecer las misiones en el territorio nacional, que conducen en 1922 a la firma de un convenio con los Religiosos Capuchinos para fundar la 'Misión del Caroní', en la cual estaba explícitamente incluido el territorio que hoy llamamos la Gran Sabana. Ese mismo año, el Papa Pío XI erige canónicamente el Vicariato Apostólico del Caroní, cuyo primer titular es fray Bienvenido de Carucedo (Monseñor Diego Alonso Nistal), Obispo de Dorilea; su consagración se celebra en Caracas el 1° de mayo de 1924. Pocos meses después llegaba al país el primer grupo de religiosos capuchinos castellanos destinados a las misiones. El Vicariato Apostólico del Caroní comprendía tres grandes zonas: la primera era la del delta del Orinoco y las tierras situadas al sur del mismo (Territorio Federal Delta Amacuro); la segunda, ya en el Estado Bolívar, al sur del gran río, correspon-

día en general al ámbito geográfico que habían desarrollado efectivamente, de 1724 a 1817, las antiguas Misiones del Caroní; la tercera zona, también en el Estado Bolívar, ''totalmente distinta de las anteriores por sus características fisiográficas y sociales —como lo escribe Monseñor Gutiérrez Salazar, a quien sigo aquí— era la región que se extendía desde el paralelo 6° (norte) hasta la frontera este-sur de la Nación, identificada como hoya hidrográfica Paragua-Caroní''. En esta tercera se hallaba incluido el hábitat de los pemón. La segunda zona, ya muy criollizada, serviría de base para la acción misionera que iba a desarrollarse en las zonas primera (Delta) y tercera (Gran Sabana). Esta acción se inició, en 1924-25, en la región deltaica y al sur de ella, mientras se preparaba la penetración definitiva en el territorio de los pemón.

La conquista del Auyantepui

Entre tanto, exploradores como los ya citados Grillet, Lezama, Fernández Peña y Mundó, a quienes más tarde se unió Félix Cardona Puig, intentaban penetrar en el territorio pemón. Los animaban el amor a la aventura, la belleza del escenario natural, la atracción de lo desconocido, y también la esperanza del hallazgo de oro y diamantes. En fecha no determinada, hacia comienzos de la década de 1920, Pancho Grillet y el Morocho Lezama (como los llama Mundó) lograron llegar, Caroní arriba, hasta el raudal de Kusariwara (el Puma, o el León) más allá de la confluencia con el Tírika, pero ''hubieron de regresar inmediatamente ante la oposición de los Pemontón-Choycoy, que tienen sus avanzadas en estos lugares''. Esto lo escribía Mundó en un artículo publicado en 1929 en la revista Cultura Venezolana, donde se hablaba por primera vez de 'la Gran Sabana' con este nombre y se les daba a sus habitantes su gentilicio común propio: 'Pemontón'. Es decir, los pemón, o los pemones. En cuanto a Lucas Fernández Peña, se dice que en 1924 había llegado a la región del Apoipó y que hacia 1927 se radicó en el lugar donde hoy existe Santa Elena de Uairén. Con la penetración de esos audaces exploradores iban paralelas expediciones científicas como la que por cuenta del American Museum of Natural History (ya ha transcurrido la Primera Guerra Mundial, y los Estados Unidos eclipsan a Inglaterra) dirige en el Roraima, de 1927 a 1928, el zoólogo G.H.H. Tate. Después de haber explorado hacia 1926 las bocas del Urimán, tributario del Caroní, Mundó siguió Caroní arriba y penetró por otro de sus afluentes, el Tírika, que conducía directamente al corazón de la Gran Sabana. En sus orillas, no lejos de un poblado pemón, Mundó estableció en 1927 un rancho, y trató de captarse la confianza de los indígenas, que al principio se mostraron muy reservados. Los obsequios que el catalán les hacía, la curiosidad que en ellos despertaba su tocadiscos y la circunstancia de haber logrado curar Mundó al hijo de un respetado kaipuna, vencieron al fin la comprensible desconfianza de los aborígenes hacia el hombre blanco en general. Acompañado por algunos pemones, Mundó logró llegar hasta el poblado de Aurimá, cerca de donde está hoy situada Santa Elena de Uairén, lugar donde existía entonces ''una capilla protestante atendida por pastores ingleses, a la que acudían éstos tres o cuatro veces al año''. Aquel mismo año de 1927, Mundó y su compatriota Cardona —unos catalanes dignos del que menciona García Márquez en Cien años de Soledad— exploraron juntos la región, pero más al norte, penetrando por los ríos Cucurital, Carrao y Churún, hasta llegar al Auyantepui. Allí, a unos seis kilómetros del Churún-Merú, la inmensa cascada de casi mil metros de alto, construyeron un rancho y sembraron un conuco, lo cual les permitió vivir en ese lugar hasta bien entrado el año 1928, y explorar detenidamente los alrededores. Resultado de todo esto fueron el artículo 'Viaje al Alto Caroní', que Mundó publicó en Cultura Venezolana de septiembre de 1929, y el mapa que Cardona dio a conocer en 1930. Aquél murió en Ciudad Bolívar en 1932, pero éste continuó sus exploraciones a lo largo y lo ancho de Guayana durante varios lustros, ascendiendo por primera vez tepuyes como el Sarisariñama (en 1932), el Auyantepui (1937), el Guaikinima (1943-44), el Apacará (1946) y el Acopán (1947). En el caso del Auyantepui es interesante recordar que Cardona fue el primero en llegar a su cima en mayo de 1937. En agosto de ese año, en un avión piloteado por el norteamericano James C. (Jimmy) Angel, Cardona sobrevoló el tepuy tomando fotos del espectacular salto del río Churún. (Churún-Merú, en pemón, significa eso, exactamente: 'Salto del Churún'). En otro vuelo que poco después Jimmy Angel llevó a cabo por su cuenta, su aparato aterrizó en lo alto del tepuy y quedó atascado en suelo pantanoso. Hubo inquietud por la suerte que hubiese podido correr el piloto —que afortunadamente se salvó y fue rescatado luego— y la prensa dio amplia difusión al suceso. Esto condujo a que el Churún-Merú fuese conocido, a partir de entonces, como 'Salto Angel'. Años más tarde, cuando el aviador norteamericano falleció, sus cenizas fueron esparcidas desde el aire sobre el Auyantepui, cumpliéndose así su última voluntad.

Nosotros también somos hombres

Mientras esto ocurría, los misioneros capuchinos del Caroní entraban definitivamente, para quedarse, en el territorio de la Gran Sabana y de las cuencas del Paragua y del Caroní. En agosto-septiembre de 1930 Monseñor Diego Alonso Nistal, Vicario Apostólico, y fray Ceferino de la Aldea, emprendieron una expedición exploratoria que condujo al segundo hasta la zona de Luepá, a la entrada de la Gran Sabana por su extremo nor-oriental. Poco más tarde, fray Nicolás de Cármenes y dos compañeros, tomando la vía del sur, llegaron a la zona del Uairén, donde fundaron el centro misional de Akurima (Santa Elena) el 28 de abril de 1931. A fines de este año, Monseñor Nistal, que ya se acercaba a los 70, acompañado por fray Ceferino de la Aldea y fray Eulogio de Villarín salieron de Upata, llegaron al puerto de El Dorado, navegaron Cuyuní abajo y luego penetraron en la Gran Sabana atravesando a pie la Sierra de Lema por el tremendo paso de La Escalera. Vadearon el río Aponguao y llegaron a un poblado pemón llamado Ají, desde donde enviaron un mensaje a los Padres de Santa Elena pidiéndoles caballos, y siguieron a Luepá. Se entendían por señas con los indígenas, pues ni éstos hablaban español ni los misioneros sabían pemón. Al llegar los caballos, marcharon hacia el sur, cruzando ríos (en uno de los cuales Monseñor Nistal estuvo a punto de ahogarse) y atravesando regiones pantanosas donde había que ir a pie llevando al caballo por la brida. La belleza mejestuosa del paisaje les compensaba de las fatigas. Llegaron así al poblado de Arauta-merú (Salto del Araguato), cuyos habitantes —que habían sido bautizados por el Padre jesuita inglés Ignacio Cary Elwes— los recibieron con cariño. Finalizaron su viaje en Santa Elena de Uairén, que contaba entonces —escribe el Padre Eulogio, cuyo relato sigo— ''tres ranchos en una loma y otros tres medio escondidos en un recodo de la sabana, cerca de la frontera con el Brasil''. Era el comienzo de un proceso que en menos de tres décadas había de transformar profunda y durablemente el panorama humano de la Gran Sabana. Con la llegada de los misioneros capuchinos y las misioneras franciscanas o dominicas, y con la fundación de nuevos centros —San Francisco de Luepá, 1933; Santa Teresita de Kavanayén, 1942, sucesor de Luepá; Nuestra Señora de Coromoto de Kamarata, 1954; Santa María de Wonkén, 1957-1959— el habitat ancestral de los pemontón queda definitivamente integrado a la nación venezolana. Integración espiritual, a través del idioma, de la religión. Integración material, con la introducción de instrumentos, de métodos de trabajo, y de nuevas actividades económicas como la ganadería, que tanto se esforzó por fomentar entre 1934 y 1940 fray Patricio de Molina, quien compró en el Brasil buen número de cabezas de ganado caballar y vacuno y las condujo a las misiones de Luepá y de Santa Elena de Uairén, además de convertirse en un certero cazador de tigres para proteger a sus rebaños. Integración que no va en desmedro de la valorización y la conservación de la cultura tradicional pemón, hasta entonces transmitida oralmente. Esa es la tarea que viene realizando fray Cesáreo de Armellada desde que llegó a la Gran Sabana a mediados de 1933. Que se trata de una cultura viva, no anquilosada, lo demuestra el hecho de que uno de los relatos recogidos por dicho misionero en su Taurón Pantón, el titulado 'Cuento de un piache de nuestros días', es de elaboración bastante reciente. En él, los indios le piden a su piasán que 'haga bajar' al Gobierno y le pregunte: ''—¿Es verdad que por mandato tuyo vienen los negros a maltratarnos y hacernos sufrir, a quitarnos las mujeres y a echarnos de nuestros lugares?''— Y el Gobierno —continúa el cuento— dijo: ''—No; eso no es de esa manera. Lo que sí es verdad de verdad es que ellos vienen como buscadores de diamantes, no a haceros padecer; y también vienen como buscadores de oro''. —''Pero el caso es, replicaron los indios, que nosotros les tenemos miedo; aún así sería mejor que no los dejaras venir''. ''A esto —sigue diciendo el cuento— el Gobierno nada contestó...y se fue''. Así dice el cuento: taurón pantón. Y habla bien claro. Lo que en él se llama 'el Gobierno' son, por supuesto, las autoridades. Pero somos también todos los te-pon-ken, es decir, todos los que, sin ser pemones, tengamos relación permanente o accidental con su mundo: ingenieros o buscadores de diamantes, turistas o comerciantes, antropólogos o pilotos, funcionarios o misioneros, nacionales o extranjeros. Bueno es que respetemos el equilibrio ecológico de aquel vasto ambiente natural. Bueno es, también, que respetemos la dignidad y la cultura milenaria de los seres humanos que allí habitan. Si algo nos enseña la historia es la inanidad y la falacia del viejo grito caribe —¡ana karina rote!, ¡Sólo nosotros somos hombres!— que equivale a negar o despreciar la humanidad que hay en el 'bárbaro', en el 'otro', en el 'enek'. Es decir, a negar o a despreciar nuestra condición humana.

Manuel Pérez Vila

1
De El Dorado a
Santa Elena de Uairén

Los casi 500 km de carretera que atraviesan la Gran Sabana son una de las mejores posibilidades para conocer aquel inmenso territorio. Después de pasar por las tupidas selvas cerca de El Dorado, las cuales se pueden ver en su totalidad al subir la carretera por La Escalera, vale la pena hacer una pausa para conocer el Salto del Danto, rodeado por la selva nublada. Al seguir el camino, de repente, a una altura de 1200 m, se abre el vasto panorama de la Gran Sabana. Recomiendo tomar en Luepá el ramal de la carretera que va hasta Kavanayen para conocer esta interesante misión, situada en un hermoso paisaje donde se destaca el Salto Apanwao de 100 metros de altura.

A todo lo largo de la carretera se divisan en el horizonte los impresionantes tepuyes. Además, existen bellos sitios para acampar como la quebrada de Pacheco y el Salto de Kama. Más adelante, cerca de San Ignacio de Yuruani, la encantadora quebrada de Jaspe con su fondo rojo, sus aguas cristalinas y la exuberante vegetación que la rodea es uno de los sitios más preciosos que yo conozco de la Gran Sabana.

Karl Weidmann

Canaima

Salto Hacha

Río Carrao

Río Caroní

Auyan-Tepui

Valle de Kamarata

Salto Ángel

Kamarata

Río Akanán

Sierra de Aparamán

Sierra de Lema

La Escalera

Km 88

Salto El Danto

Luepa

Ptari-Tepui

Zona en Reclamación

Aprada-Tepui

San Rafael Kamatrán

Salto Kama

Kavanayen

Chinak-Merú

Río Urimán

Urimán

Chimantá-Tepui

Acopán

Techinek-Merú

Quebrada Pacheco

Kukenán-Tepui

Roraima

Río Caroní

Río Karuay

Río Aponwao

Quebrada Jaspe

Salto Kukenán

Río Tirica

Yunwarú-Merú

Wonken

Río Yuruani

Río Kukenan

Río Kukenan

Santa Elena de Uairén

Salto Aripichi

1

1

49

Pequeñas islas de gramínea han
sobrevivido en lagunas formadas por la
construcción de la carretera

Las tupidas selvas nubladas de La Escalera
se caracterizan por la abundancia de epífitas,
principalmente Araceas y Bromelias

52 y 53

Después de recorrer grandes zonas de selva
virgen desde El Dorado hasta La Escalera, pronto
se abrirán las extensiones de la Gran Sabana

56 y 57 Una vista típica de la inmensidad de la Gran Sabana con sus morichales, sabanas con suaves colinas y bosques de galería

El Salto Aponwao, de cien metros de
altura, y la quebrada de Pacheco, con sus aguas
frías, son dos puntos de atracción turística
de la Gran Sabana, bastante frecuentados

58 y 59

Sobre el curso del río Yuruaní, diferentes
tipos de sabana: a la izquierda sabanas muy ralas
con termiteros y a la derecha sabanas inundadas
con morichales en una planicie aluviona

Los ríos de la Gran Sabana forman
numerosos y espectaculares saltos. Arriba
el del río Yuruaní y a la izquierda el Salto Kama,
pegado a la carretera, con una altura
aproximada de 80 metros

La famosa Quebrada del Jaspe, al sur
de San Ignacio de Yuruaní, sitio de gran atracción
por sus encantadores juegos de luz entre las
rocas polícromas y aguas cristalinas

Aun seco, el Jaspe, una piedra semipreciosa cuya formación es milenaria, brilla. La densidad y la dureza de esta roca, son sumamente altas

La roca al pie de un salto, solamente visible en la época de sequía, muestra el desgaste sufrido a causa del impacto del agua

Pequeños 'Tepuyes de tierra' originados por
la erosión del material arenoso subyacente a una
capa de cantos, piedritas y cuarzos

Una gran variedad de musgos y
líquenes multicolores, se pueden apreciar
en toda la región de la Gran Sabana

2
Wonken y Kamarata

Esta zona, accesible solo por avión, es la más desconocida de la Gran Sabana. Mi primer viaje hace más de veinticinco años a la Misión de Wonken de los Padres Capuchinos, fundada en 1957-59, fue para visitar con mi amigo Dirk Rovehl un salto del río Karuay que apareció en un mapa de Plan Rector sobre el Parque Canaima, salto que nunca había sido fotografiado y aparentemente no había sido visitado jamás hasta la fecha. Eran cinco días remontando el río Karuay en Kajac desde la Misión, y al llegar a nuestro destino no encontramos ningún rastro de presencia humana, ni indicio de un camino indígena. Fue una experiencia inolvidable, este encuentro con una naturaleza virgen y el sentimiento de haber sido los primeros en presenciar este salto, rodeado por una frondosa flora rica en orquídeas en plena floración. Fue algo único en mi vida.

La Misión de Kamarata, fundada en 1954, al norte de Wonken, está situada en uno de los paisajes más espectaculares de Venezuela. Al poniente tenemos el enorme macizo del Auyantepui y al este el grupo de tepuyes que incluye el Ptari-Tepui. En mi primera visita, en el año 1957, llegué remontando el río Carrao y el Akanan desde Canaima. Una excursión que yo recomiendo en la cercanía de Kamarata es la visita a un lugar conocido como La Cueva. Es un espectacular cañón, de apenas un metro de ancho, abierto por el río Kavac, el cual hay que remontar a nado para llegar hasta un salto al fondo del cañón descrito, donde éste toma muy aproximadamente la forma de una cueva.

Karl Weidmann

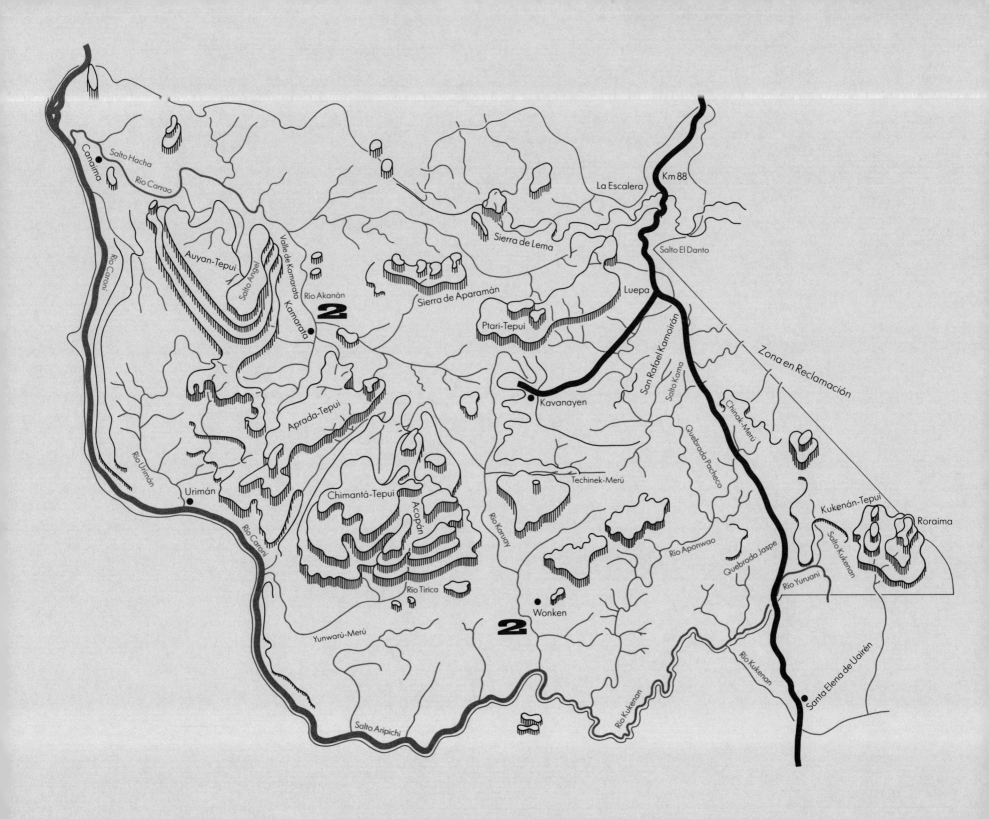

Canaima
Salto Hacha
Río Carrao
Río Caroní
Auyan-Tepui
Valle de Kamarata
Salto Ángel
Kamarata
Río Akanán
2
Aprada-Tepui
Río Urimán
Urimán
Chimantá-Tepui
Acopán
Río Caroní
Río Tirica
Yunwarú-Merú
Salto Aripichi
La Escalera
Km 88
Sierra de Lema
Salto El Danto
Sierra de Aparamán
Luepa
Ptari-Tepui
San Rafael Kamairán
Salto Kama
Zona en Reclamación
Kavanayen
Quebrada Pacheco
Techinek-Merú
Chinak-Merú
Kukenán-Tepui
Roraima
Río Karuay
Río Aponwao
Quebrada Jaspe
Salto Kukenán
Río Yuruani
2
Wonken
Río Kukenan
Río Kukenan
Santa Elena de Uairén

Mirando hacia el sur de la región del bajo río
Karuay. En primer plano los farallones
del Acopán-Tepui, del Macizo del Chimantá.
Al fondo el Angasima-Tepui

Diferentes tipos de sabanas asociados
a distintos tipos de paisajes: Arriba, sabanas
muy ralas sobre colinas pedregosas y a la
derecha sabanas, morichales y
bosques de galería en la llanura del río Aponwuao

78y79 Uno de los rincones más sugestivos
y menos conocidos de la Gran Sabana: El valle del río
Aruac, entre el Acopán-Tepui y el Upuigma-Tepui

En la página izquierda: amanecer frente
al Upuigma-Tepui, y a la derecha: el río Karuay,
al fondo el Upuigma-Tepui y el Acopán-Tepui

Salto del río Karuay, con una altura estimada
de 40 metros, a mitad del camino por río entre Wonkén y
Kavanayén. A la izquierda, Salto del Humo
situado en la confluencia del Karuay con el Caroní

Sobre las piedras húmedas, en la
ribera de un salto, crece esta bella especie de
Chrysothemis gesneriaceae

Esta colonia de orquídeas
Hexisea bidentata domina el paisaje,desde
lo alto de la copa de un árbol

85

86 y 87

Esta cueva, a pocos metros del Salto El Humo
en la que anidan grandes colonias de Guácharos,
fue descubierta por el fotógrafo en 1952.
Delicados helechos cubren las húmedas paredes

Salto espectacular, cuyas aguas fluyen al Akenán
A la derecha: Las aguas del río Kavac forman un cañón
de no más de dos metros de ancho, el cual hay que
remontar a nado para llegar a un bello salto

Remontando el río Caroní (arriba) encontramos
el afluente Tírica. Este río da origen a uno de
los saltos más bellos de la región Techinek-merú (derecha)
En páginas 92 y 93 aparece el salto en toda su extensión

En el medio de los raudales crecen plantas
muy curiosas, como las Podostemonaceas, que están
fijadas firmemente a las rocas, y cuya
flor sólo emerge durante la época de aguas bajas

De Canaima al Auyantepui

3

En 1954 tomé un avión de la Línea Aeropostal Venezolana hasta el pueblo minero de Uriman y ante las atónitas miradas de los mineros partí con mi Kajac hasta el río Tírica remontando hasta el Aparuren. Luego bajé todo el Caroní hasta la boca del río Carrao llegando así a la Laguna de Canaima. En aquel entonces no había vuelos comerciales y solamente el aviador Charles Baugham tenía ahí un galponcito de aluminio que utilizaba en sus vuelos charter para algunos turistas aventureros. El día que yo llegué, por casualidad él se encontraba ahí y al verme me miró desconcertadamente, ya que pensó que yo era uno de sus turistas que él había olvidado en su viaje anterior. Maravillado y visiblemente aliviado estuvo cuando yo le conté mi viaje en Kajac por los ríos. La soledad del sitio en aquellos años me parecía un paraíso terrenal y juré volver pronto.

Dos años más tarde ya se habían establecido los vuelos comerciales y conocí por primera vez a Rudi Truffino, con el cual me unió una gran amistad que dura hasta estos días. Jungle Rudi, como es apodado hoy, estableció allí su célebre campamento desde el cual parten sus tours por toda la región. Esta vez remonté con mi Kajac el río hasta llegar al pie del Salto Angel, viaje que me tomó cinco días para llegar y un total de 21 días antes de regresar a Canaima. En total he ido nueve veces al Salto Angel y sus alrededores, dos veces partiendo desde Kamarata. El viaje más largo me tomó cinco semanas y para mí siempre es algo fascinante disfrutar de la soledad en estas extensas zonas vírgenes.

No fue sino en 1985 cuando gracias al auspicio de EDELCA fui llevado en helicóptero a la cumbre del Auyantepui, en la cual me quedé seis días, que fueron pocos para la inmensidad de la cima y lo accidentado del terreno características que dificultan extremadamente el desplazamiento.

Karl Weidmann

Canaima
Salto Hacha
Río Carrao
Auyan-Tepui
Valle de Kamarata
Salto Angel
Kamarata
Río Akanán
Sierra de Aparamán
Río Caroni
Aprada-Tepui
Río Uruán
Urimán
Chimantá-Tepui
Acopán
Río Carani
Río Tirica
Yunwarú-Merú
Salto Aripichi

La Escalera
Km 88
Sierra de Lema
Salto El Danto
Luepa
Ptari-Tepui
San Rafael Kamairán
Zona en Reclamación
Kavanayen
Salto Kama
Chirak-Merú
Techinek-Merú
Quebrada Pacheco
Río Karuay
Río Aponwao
Quebrada Jaspe
Kukenán-Tepui
Roraima
Salto Kukenan
Río Yuruani
Wonken
Río Kukenan
Santa Elena de Uairén

Cerca de la desembocadura del río Carrao,
las aquí tranquilas aguas del río Caroní, al fondo
domina el cerro Curatapaca

100 y 101 Aguas, morichales y saltos, al fondo los Tepuyes,
son elementos que caracterizan la belleza
de los paisajes, de toda la región del parque Canaima

Salto Hacha del río Carrao, visto desde el campamento
Canaima. A la derecha perfil del Salto Hacha, detrás de este
salto existe una hendidura por donde uno puede
pasearse y disfrutar del inmenso espectáculo de toneladas
de agua que al caer producen un ruido estruendoso

El Kurún-Tepui, cuyo perfil clásico es
siempre visible desde toda la región de Canaima
alcanza una altura de unos 1350 metros

Desde el Carrao, río de típicas aguas negras, en
cuyas orillas abundan la palma Moriche, se divisan
el Kurún-Tepui y el Cerro Venado
En las piedras de arenisca del primer plano
se repiten las típicas formas de erosión de los tepuyes

Los saltos de Canaima comienzan siendo
primero, unos raudales antes de precipitarse
salvajemente en la laguna
A la derecha vista del Salto Akaima. La
Parte que aparece en primer plano puede ser
observada de cerca subiendo por caminos naturales
que existen en sus márgenes

Verdes sabanas sobre suaves colinas,
acompañadas por bellos morichales, caracterizan
el paisaje al sur de Canaima. Al fondo podemos
ver la Sierra Cararuban.
Frondosos bosques a la derecha, recubren
las empinadas faldas inferiores del extremo norte
del imponente Auyantepui

El Salto Angel, con sus casi 1000 metros
de caída libre, impresiona no sólo por su magnitud
sino también por el fascinante
paisaje de rocas y plantas que lo rodea

Fondo del Valle Churún, también llamado
el Cañón del Diablo. Esta profunda hendidura, que
casi divide el Auyantepui, es uno
de los más espectaculares cañones del mundo

116 y 117 Numerosos saltos caen de las paredes
del Auyantepui al valle Churún, exaltando su belleza.
Algunos de estos saltos aparecen
únicamente después de las fuertes lluvias

Acantilados del Auyantepui que dan a
los espesos bosques del valle Ahonda. Al fondo se divisan
el Uei-Tepui y el río Carrac

En las depresiones de la cumbre del
Auyantepui prevalecen condiciones atmosféricas
y edáficas que permiten el crecimiento de pequeños pero
densos bosquecillos y matorrales

Las rocas de la meseta del Auyantepui
evidencian claramente la acción de los procesos
de desmantelamiento perpetuo

Subiendo desde Guayaraca por el tradicional camino que se supone fue usado en su bajada por Jimmy Angel, se pasa por estas formaciones rocosas, de precario equilibrio

El segundo muro, de una altura de
150 metros, representa un escalón sobre la
topografía del Auyantepui

Los árboles que observamos
en las paredes del segundo muro miden
entre los 10 y 15 metros de altura

125

La imaginación descubre extraños
seres rocosos o pinturas abstractas en las
formaciones pétreas del Auyantepui

En verano el lecho de un río está casi
seco, pero después de una fuerte lluvia se puede
convertir en un torrente temible
El Auyantepui, con sus 700 kilómetros
cuadrados, ofrece una variedad de paisajes
y una flora rica y variada

La pequeña colonia de Vellozia tubiflora
sobrevive en una roca. A la derecha bosquecillos
de Bonnetia roraimae y palmas Euterpe

Las aguas que se forman en las cumbres
de los tepuyes de la Guayana son típicamente de
coloración obscura, debido a la disolución
en ellas de ácidos orgánicos

Alrededor de caños y quebradas se
desarrolla una interesante vegetación herbácea
y arbustiva con un alto número
de especies endémicas del Auyantepui

133

Los líquenes terrestres y las epífitas
forman a veces grandes colonias y determinan
fuertemente el ambiente vegetal tepuyano

4

El Cerro Roraima

La primera vez que escalé el Roraima fue en el año 1973 con Toni Stuyk y mi colega Antonio Oppenheimer por iniciativa de mi amigo Fernando Cangas. En esta oportunidad cometimos el error de acampar al pie de la pared y de no subir el equipo del campamento, lo cual nos obligó, por lo inhóspito del clima en la cima, regresar el mismo día. Tuvimos apenas tres horas disponibles para fotografiar, con la mala suerte de que lloviese la mayoría del tiempo. Esta primera expedición me dejó con la añoranza de regresar con más calma y mayor tiempo disponible, pero no fue sino once años más tarde cuando decidí organizar una expedición con mis amigos Carlos Aché, Uwe Radtke y Carsten Todtmann. En esta segunda expedición tuvimos que dejar los vehículos cerca del pueblo indígena de Peray-Tepui y atravesamos durante once horas la Gran Sabana hasta establecer el campamento en la base de la pared. Esta vez el ascenso fue mucho más dificultoso, ya que además de todo el equipo fotográfico llevábamos las carpas y la comida para así poder pasar dos noches en la cima del Roraima.

Tuvimos la suerte de que el Roraima, que casi siempre se encuentra cubierto de neblina, se despejó el tercer día por unas horas, lo que significa una gran suerte en aquel lugar, especialmente para el fotógrafo. Al tercer día tuvimos que descender debido a la falta de comida y al clima frío y los fuertes vientos del Roraima, además tomando en cuenta que nos quedaban el descenso y las once horas de regreso por la Gran Sabana, ya mucho más cansados.

Karl Weidmann

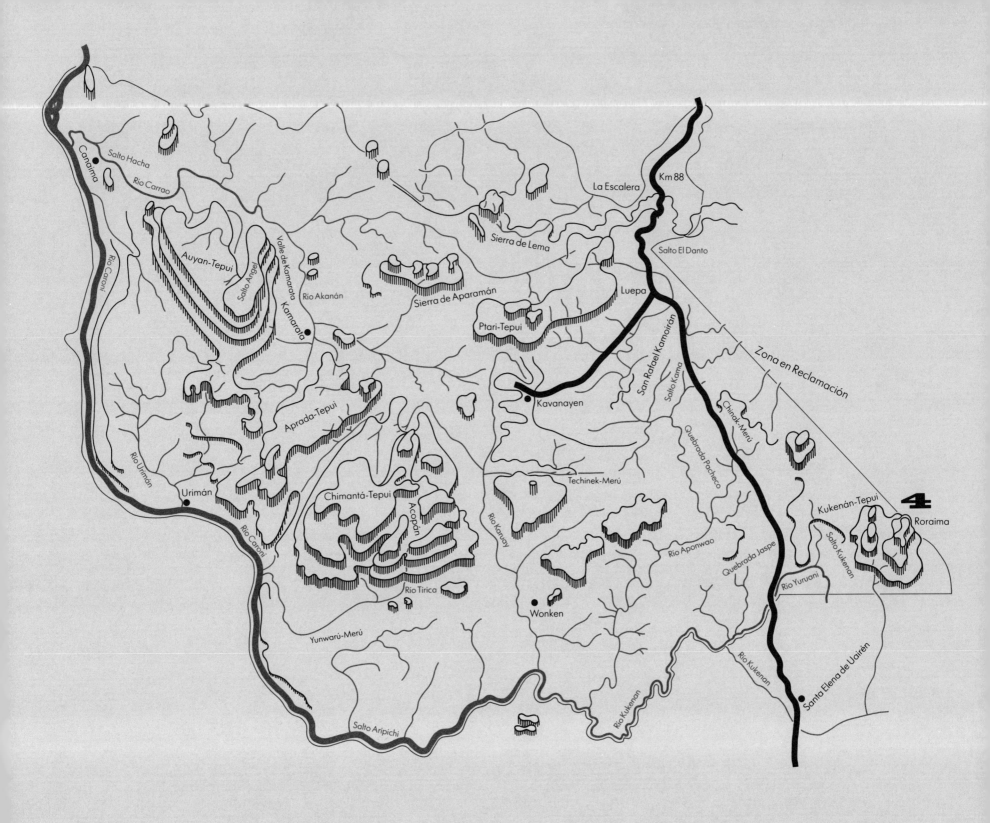

Un característico rincón de la Gran Sabana,
en las proximidades del Roraima

Abundantes Epífitas prosperan en la
selva nublada al pie del Roraima. La densidad
y la humedad dificultan el ascenso

142

Los dos extremos de la evolución vegetal
están aquí reunidos; el primitivo helecho arbóreo
en el centro y la 'moderna' palma
Euterpe roraimae a la izquierda

De pronto, termina el bosque nublado y
se eleva la pared perpendicular del Roraima.
Cada espacio adecuado, es colonizado
por especies vegetales

143

Ya casi llegando a la cumbre del Roraima
una última vista al piedemonte. En las
grietas de la pared protegidos
del viento directo emergen arbustos enanos

Ya en la cumbre dos 'reinas' tepuyanas:
Oretanthe sceptrum con sus flores amarillas
y Stegolepsis guianensis más abajo

145

146y147 La 'Puerta de entrada' y el flanco
noroeste del Roraima, el Tepuy más alto de la Gran
Sabana, observado desde el pie de la recta final

Al llegar a la cima del Roraima cambia
dramáticamente el paisaje: las fuerzas de la erosión,
durante millones de años, han producido formas
pétreas espectaculares

148 y 149

El viento, el agua y el liquen son los
escultores que durante millones de años
han trabajado lentamente
esta piedra hasta darle su forma actual

En las hendiduras de la cima del
Roraima se forman numerosas lagunas debido
a las lluvias casi diarias

Es muy difícil para la vegetación establecerse en las formaciones rocosas del Roraima. A la derecha: grupo vegetal pionero, formado esencialmente por Pernettya marginata

152 y 153

Tillandsia turneri var. orientalis, una bromelia
terrestre capaz de sobrevivir sobre rocas en las
cumbres de los tepuyes orientales

Cyrilla racemiflora, un arbusto de
llamativas flores bastante frecuente en las
cumbres de los tepuyes

¡Todo un jardín en un metro cuadrado!
Destacan aquí las hojas pegajosas
y rojas de la planta carnívora Drosera roraimae

La Gran Sabana
y su ambiente natural

Otto Huber

La región que se extiende en el extremo sur-este del Estado Bolívar, comúnmente conocida como la Gran Sabana, es sin duda alguna una de las más fascinantes de toda Venezuela. Sus paisajes suaves rodeados por un escenario de montañas majestuosas, atravesados por ríos cristalinos y alfombrados por sabanas interminables a menudo entremezcladas con islas de bosques frondosos, dejan una profunda impresión en todo visitante. Sólo recientemente esta región ha sido abierta a un público más amplio, mediante la conclusión de la carretera que une a El Dorado en el Norte con la población de Santa Elena de Uairén en el Sur y hoy en día miles de personas visitan cada año este apartado rincón del país.

A continuación queremos ofrecer una descripción sucinta del maravilloso mundo natural que caracteriza tan poderosamente a esta región que aún ha conservado el misterioso encanto de una hermosura única, tanto que resulta difícilmente describible.

Rasgos geográficos generales

Frecuentemente el término de 'Gran Sabana' es empleado con cierta imprecisión, ya que algunos designan con éste indistintamente toda una región en el Sureste del Estado Bolívar, incluyendo también las áreas de Canaima y de Kamarata ubicadas más hacia el Noroeste. En realidad, geográficamente hablando, la región de la Gran Sabana propiamente dicha abarca solamente aquella parte de la altiplanicie que se desarrolla en la cuenca alta del río Caroní por encima de los 800 metros sobre el nivel del mar (m.s.n.m); por lo tanto, la región del medio y bajo Caroní que comprende las llanuras del Valle de Kamarata, las sabanas de Urimán y de Canaima, todas ubicadas entre 350 y 450 m.s.n.m, no forman parte de la Gran Sabana propiamente dicha. Sin embargo, debido a la importancia turística de Canaima y de las áreas cercanas al Auyantepui, estamos incluyendo estas zonas aquí en nuestra breve descripción.

La región de la Gran Sabana así definida se extiende por casi 75000 km^2 en la porción suroriental del Estado Bolívar que administrativamente corresponde a los Distritos Piar, Roscio y Sifontes. Se trata de una vasta altiplanicie suavemente inclinada de Norte a Sur pasando desde aproximadamente 1400 m en la Sierra de Lema al Norte hasta aproximadamente 800 m en la frontera con Brasil al Sur de Santa Elena de Uairén. Esta altiplanicie limita al Sureste con la impresionante cadena de los tepuyes orientales (Ilú-tepui, Yuruaní-tepui, Kukenán-tepui, Cerro Roraima y Uei-tepui), de los cuales el Roraima alcanza la mayor altura con casi 2723 m.s.n.m; al Noroeste y Norte se extiende hasta la Serranía Venamo, la Sierra de Lema, el Sororopán-tepui y el Ptari-tepui (Cerro Budare, de aprox. 2400 m); de allí el límite occidental de la Gran Sabana sigue aproximadamente el valle del río Karuay que serpentea desde el Ptari-tepui en el Norte hacia el río Caroní en el Sur, bordeando los majestuosos flancos orientales del Macizo del Chimantá. Finalmente, en el límite meridional se extiende hasta la Serranía

Pakaraima cuyas suaves alturas y cumbres redondeadas contrastan con las típicas formas tabulares de las otras montañas de la región. A excepción de la cuenca alta del río Kamürán (una pequeña porción en el Noreste de la Gran Sabana que drena hacia la Cuenca del río Mazaruni (afluente del río Esequibo), todo el resto de la región pertenece a la Cuenca Hidrográfica del río Caroní. Los mayores cursos de agua de la Gran Sabana son: el río Aponguao (Apanwao), que nace en la Sierra de Lema; el Yuruaní que junto con su afluente Karaurín se origina en las faldas occidentales de las montañas Ilú-tepui, Karaurín-tepui y Yuruaní-tepui; el río Kukenán, que nace en las vertientes occidentales del Kukenán-tepui y del Cerro Roraima y recibe luego los afluentes Arabopó, Uairén y Yuruaní, antes de unirse con el Aponguao y formar de allí en adelante el río Caroní. Además cabe recordar el río Karuay, en cuyas cercanías se encuentran las grandes Misiones Capuchinas de Kavanayén y Wonkén; y finalmente el río Ikabarú, originario de la Sierra Pakaraima en la frontera con el Brasil y que atraviesa el pintoresco poblado minero de Ikabarú antes de unirse con el Caroní.

El río Caroní, con sus 925 km de longitud; es el mayor afluente del Orinoco. Representa, en los momentos actuales, el potencial hidráulico más importante del país, ya que su inmenso caudal de casi 5000 metros cúbicos por segundo alimenta la gigantesca represa hidroeléctrica 'Raúl Leoni' de Guri, la más grande del país y una de las primeras del mundo.

Casi todos los ríos de la Guayana, así como la gran mayoría de los riachuelos y caños de esta región, son de aguas negras, es decir de una coloración oscura similar a la del té; son aguas extremadamente pobres en nutrientes disueltos, pero ricas en ácidos húmicos y en taninos (pág 132) que le confieren ese característico color pardo. Además poseen un grado de acidez muy pronunciado (pH 3-4), lo cual se hace notar por los leves trastornos estomacales que pueden sufrir algunos visitantes después de ingerir por primera vez estas aguas; sin embargo, debe enfatizarse que la Gran Sabana es probablemente una de las últimas regiones del mundo, donde pueden beberse sin preocupación alguna las aguas de los ríos, ya que prácticamente no existen fuentes de contaminación río arriba. Uno de los aspectos naturales más bellos de los ríos de la Gran Sabana son sus saltos espectaculares. Bien conocidos son los Saltos de los ríos Torón y Aponguao en las cercanías de Parupa (Sector Norte de la Gran Sabana); el Salto del río Kamá ('Kamá-merú') (pág 62) fácilmente visible al lado de la carretera entre Luepá y el río Yuruaní. Otro sitio de belleza extraordinaria es la Quebrada del Jaspe, (pág 64) ubicada a unos pocos kilómetros al Sur de San Ignacio de Yuruaní, donde el agua discurre, alternando con pequeños saltos, sobre un imponente lecho rocoso de jaspe rojizo. El jaspe, que es un tipo de roca de grano muy fino y con superficies lisas, pulidas, tiene aquí un espesor de varias decenas de metros y presenta una coloración que varía de un delicado rosa a rojo oscuro y un rojo púrpura azuloso muy sugestivo, especialmente si es visto a través del centelleo de las aguas cristalinas que le corren por encima. Alejándonos al Noroeste de la Gran Sabana no podemos dejar de mencionar al espectacular Salto Angel, cuyo nombre indígena es Churún-Merú, que cae por casi 1000 metros desde la cumbre del Auyantepui en el Valle del río Churún (pág 113). Pero el Salto Angel, nombrado según su descubridor Jimmy Angel, es solamente el más conocido de una multitud de saltos quizás no todos tan altos pero tanto o más impresionantes, que bajan de las innumerables cumbres de tepuyes a lo ancho de toda la Gran Sabana.

Con la construcción de la carretera El Dorado-Santa Elena de Uairén, culminada en el año 1972, ha sido creado por primera vez un acceso terrestre directo a la altiplanicie de la Gran Sabana. Esta carretera sube primero por la vertiente Norte de la Sierra de Lema, atravesando los densos bosques nublados de La Escalera. Se alcanza la altiplanicie de la Gran Sabana pocos kilómetros al Oeste del Cerro Venamo (aprox. 1500 m) ubicado en la Línea de Demarcación de la Zona en Reclamación con Guyana. Poco después se encuentra La Ciudadela, donde se halla una importante guarnición militar. De este sitio parte un ramal hacia el Oeste, el cual, después de pasar por la antigua Misión de Luepa (de la cual queda solamente una ruina), por el Campamento Parupa de la Corporación Venezolana de Guayana y por el sitio turístico de Chivatón, llega finalmente a la Misión de Santa Teresita de Kavanayén, a aproximadamente 1200 metros sobre el nivel del mar.

En torno a esta misión de los Padres Capuchinos, ubicada al pie del Sororopántepui, se han concentrado pobladores indígenas hasta convertirse en un verdadero pueblo con cerca de 400 habitantes. Regresando a la carretera principal y continuando el viaje hacia el Sur, encontraremos otros asentamientos humanos, tales como San Rafael de Kamürán (o Kamoirán), San Francisco de Yuruaní, San Ignacio de Yuruaní, Santa Cruz de Mapaurí y finalmente Santa Elena de Uairén, a menos de 10 km de la frontera con el Brasil. Esta población, fundada solamente en el año 1935 por Lucas Fernández Peña, se está convirtiendo aceleradamente en una pequeña ciudad con una población cercana a los 2000 habitantes y es actualmente el centro poblado y administrativo más importante de toda la Gran Sabana y la región fronteriza. Recientemente ha sido elevada a capital de distrito, con la creación del nuevo Distrito Sifontes. Desde Santa Elena continúa otra carretera hacia el Oeste que conduce a la Sierra Pakaraima, pasando por los poblados de Peray-tepui y El Paují, antes de bajar hacia el antiguo poblado minero de Ikabarú, situado en las márgenes del río de este mismo nombre.

Estas son las únicas vías transitables hoy en día en toda la región de la Gran Sabana; sin embargo, desde la carretera principal Luepa-Santa Elena-Ikabarú se desvían gran número de caminos y picas en varias direcciones que fueron abiertos en algún tiempo por mineros en búsqueda de sitios propicios para la explotación de oro y diamantes o, más recientemente, por turistas intrépidos. Las otras poblaciones de la Gran Sabana y áreas limítrofes son alcanzables solamente por estrechas picas de los indígenas o, desde hace unos 50 años, por vía aérea. Estos poblados, entre otros, son Kamarata, una importante Misión ubicada al pie Sureste del Macizo del Auyantepui; Wonkén, otra gran Misión edificada en la región del bajo río Karuay al Sur del Macizo del Chimantá; Urimán, antiguo pueblo minero en la orilla oriental del río Caroní medio; y, finalmente, Canaima, el famoso sitio de recreo turístico en el bajo río Carrao, donde se ha construido en estos últimos años una infraestructura turística de grandes dimensiones, alrededor de la cual también ha ido creciendo un poblado indígena de muy notables proporciones.

Geología, geomorfología y suelos

El Escudo de Guayana, que comprende la totalidad de las tierras ubicadas en Venezuela al Sur del Orinoco, se compone de dos formaciones geológicas fundamentales: un basamento ígneo-metamórfico que, con una edad estimada en aproximadamente 2000 millones de años, representa uno de los núcleos continentales más antiguos de la superficie terrestre; y una capa de rocas sedimentarias, particularmente areniscas de la Formación Roraima, que ha sido depositada sobre el basamento unos 1 600 a 1 700 millones de años atrás. Estas capas de areniscas de origen continental fueron sedimentadas probablemente en un ambiente lacustre o marino somero, alcanzando espesores de varios de metros;

originalmente unidas en una o varias 'placas' más o menos continuas, han sido fracturadas y erosionadas posteriormente durante los cientos de millones de años bajo alternancias de climas áridos y húmedos. A esto hay que añadir que toda la región del Escudo, al igual que las otras regiones geológicas continentales, ha sido sujeta a varios períodos de levantamiento y hundimiento tectónicos, de manera que ciertas áreas del Escudo han quedado más expuestas a la erosión que otras. Así se explica la presencia, hoy en día, de los grandes macizos de arenisca que aparecen aislados, entre los cuales se extienden amplias zonas de tierras bajas.

Las montañas que rodean a la Gran Sabana pertenecen todas, geológicamente hablando, a la Formación (o Grupo) Roraima, que toma su denominación del cerro de ese nombre ubicado en el extremo Sureste de la Gran Sabana, donde por primera vez ha sido descrito científicamente este tipo de rocas. Las areniscas de la Formación Roraima son generalmente de color rosado hasta blanquecino; debido a su gran edad, estas rocas son muchas veces bastante friables (es decir, se desmenuzan fácilmente) y tienden además a quebrarse en bloques con ángulos rectos. De allí las formas casi geométricas de imponentes mesas con paredes más o menos verticales que presentan la mayoría de las montañas de arenisca llamadas 'tepuyes' en la lengua de los indígenas que habitan esta región de la Gran Sabana.

La gran mayoría de estos tepuyes de la Gran Sabana y sus alrededores alcanza alturas que varían entre los 2700 m (en el Cerro Roraima) y los 2000 m; (pag 146) algunos grandes macizos, como por ejemplo el Auyantepui, presentan una inclinación de su superficie, de manera que en este caso el borde meridional supera los 2400 m, mientras que el borde septentrional apenas alcanza unos 1600 m. También encontramos en la Gran Sabana tepuyes menores, como por ejemplo el Cerro Chirikayén al Norte de Santa Elena, o el Uei-tepui en la Sierra de Lema, cuya altitud no supera los 1500 ó 1600 m; en estos casos se supone que las capas superiores de areniscas hayan sido ya erosionadas, dejando al descubierto hoy en día los miembros medios e inferiores de la Formación Roraima, que presentan características litológicas y estructurales distintas debido a su formación y origen más antiguo.

Las rocas ígneo-metamórficas del basamento no han sido expuestas por la erosión en la región de la Gran Sabana, pero sí en el piedemonte al Norte y en la zona del Alto Caroní Occidental, donde se presentan numerosos afloramientos graníticos pertenecientes a esta formación. Estas colinas graníticas, hoy en día mayormente cubiertas por bosques, presentan casi siempre formas redondeadas, de unos 200 a 300 m de alto; cuando no están cubiertas por vegetación, pueden apreciarse sus características superficies rocosas negras que reciben el nombre local de 'lajas'. Aparte de las dos formaciones geológicas principales mencionadas (rocas ígneo-metamórficas y areniscas), se encuentran en la Gran Sabana también rocas diferentes originadas por intrusiones magmáticas posteriores (más recientes) en el Escudo. Así por ejemplo, el sector centro-meridional de la Gran Sabana, precisamente entre el río Kamá, en el Este, y el Valle de Kamarata, en el Noroeste, se extiende un gran eje estructural conformado por diabasas intrusivas, que son rocas básicas con alto tenor de feldespatos. Sin embargo, estas rocas, cuya meteorización da origen a suelos más fértiles que en el caso de las areniscas, sólo ocupan extensiones menores en esta región.

Directamente relacionado con la matriz geológica, pueden distinguirse diferentes ambientes geomorfológicos en la Gran Sabana y sus áreas limítrofes. En forma general puede decirse que los relieves ondulados caracterizan las penillanuras y superficies de aplanamiento desarrolladas sobre el basamento ígneo-metamórfico; una mirada hacia el Norte desde el sitio Piedra de la Virgen en la subida hacia La Escalera ofrece un buen ejemplo de este tipo de paisaje geomorfológico. Por otra parte también las zonas con intrusiones de diabasa mencionadas anteriormente, bien sea a nivel de la Gran Sabana así como también en las cumbres de tepuy, pueden reconocerse fácilmente por su característica topografía, prevalentemente ondulada y con topes redondeados.

Finalmente, la geomorfología tepuyana desarrollada sobre las areniscas del Grupo Roraima, se caracteriza en primer lugar por relieves en forma de mesetas tabulares, cuestas y planicies estructurales. Las paredes verticales de los tepuyes que en algunos casos alcanzan alturas de más de 1000 m, sobresalen generalmente de un basamento escarpado y cubierto por densos bosques montanos. Las superficies en las cumbres de los tepuyes son normalmente planas o levemente inclinadas, pero presentan en la gran mayoría de los casos profundas grietas y cañones en intervalos más o menos regulares, que dificultan o, mejor dicho imposibilitan el libre camino de punta a punta de un dado tepuy. Otras formas características de las cumbres de tepuyes son curiosos campos de torrecillas ('tors') de arenisca, entre 0,5 y 5 m de alto, que en el caso del Cerro Roraima forman verdaderos laberintos. También se encuentran cuevas, arcos naturales de piedra y toda una serie de formas pétreas extravagantes de aspectos ruinosos que tanto han inspirado la fantasía de los primeros visitantes, quienes han creído de reconocer allí testigos relictuales de formas de vida prehistórica, como por ejemplo en la famosa novela de Conan Doyle sobre 'El mundo perdido'. Pero aún hoy en día algunas personas se dejan engañar por su imaginación, como en el caso del profesor de geografía de una universidad extranjera quien hace pocos años escribió en una revista científica sobre las 'huellas de dinosaurios' observadas por él en el piso rocoso de la cumbre del Cerro Roraima.

En general puede afirmarse que las cumbres de los tepuyes orientales presentan una superficie más plana y regular que en los grandes macizos tepuyanos ubicados más hacia el Oeste, como por ejemplo en el Auyantepui o el Macizo del Chimantá. Esto también es de-bido, quizás, a la casi completa ausencia de una cobertura vegetal continua sobre los tepuyes orientales, donde predominan las superficies de rocas desnudas con pequeñas depresiones, permanentemente expuestas a fuertes vientos y lluvias, que impiden la acumulación de mayores cantidades de suelos orgánicos. Por otra parte, sobre las cumbres del Macizo del Chimantá, por ejemplo, se han desarrollado verdaderos valles, altiplanicies, vertientes y picachos, de tal manera que allí podemos encontrar una multitud de paisajes mucho más variada.

En cuanto a los suelos de la Gran Sabana y sus regiones limítrofes, cabe mencionar en primer lugar que, debido a la gran edad de las rocas madres, los suelos derivados son prevalentemente muy pobres en nutrientes y minerales primarios, que han sido disueltos y eliminados durante millones de años de erosión. Si bien es cierto que ya hace casi 50 años el gobierno ha comenzado el estudio sistemático de los suelos de la región, también es cierto que sólo recientemente estas investigaciones están siendo analizadas a la luz de modernos conocimientos sobre suelos tropicales y en particular de suelos derivados de matrices pedogenéticas muy antiguas, como es el caso en el Escudo de Guayana.

En línea general puede decirse que en la Cuenca alta del río Caroní prevalecen tres grandes categorías de suelos:

1. los derivados a partir de areniscas del Grupo Roraima; son mayormente arenosos, de colores blancos a amarillentos, poco fértiles.

2. aquellos desarrollados a partir del comple-

jo ígneo-metamórfico y de rocas ígneas intrusivas; aquí predominan texturas arcillosas, colores variables entre amarillento y marrón y una moderada fertilidad. Estos suelos se encuentran en su mayor parte bajo una cubierta vejetal boscosa.

3. suelos desarrollados en las cumbres de los tepuyes, acumulados directamente sobre la roca de arenisca. En este ambiente de montaña alta, la descomposición es muy lenta y por lo tanto los suelos se caracterizan por su color muy oscuro debido al elevado contenido de material orgánico junto con un muy bajo tenor de material mineral, de manera que deben ser considerados como verdaderas turbas. Sólo en pequeñas depresiones o en fondos de valle se acumulan suelos arenosos con una fracción orgánica menos pronunciada. Todos los suelos de la región presentan además un grado de acidez muy elevado, lo cual se refleja directamente en las características químico-físicas de las aguas que se originan en ellos. Esta fuerte acidez, aunada con la extrema pobreza de nutrientes, son los factores principales responsables de la productividad muy baja de estos suelos, con el resultado que hasta el presente todos los intentos de implementar una producción agropecuaria rentable en la región de la Gran Sabana han sido poco o nada exitosos.

Clima

A raíz de su posición topográfica elevada (entre 1300 y 900 m.s.n.m), la Gran Sabana siempre ha gozado entre sus pobladores y visitantes de la reputación de tener un clima templado de confortables temperaturas. De hecho, la temperatura media anual (TMA) es de aproximadamente 20°C, similar a la del Valle de Caracas; pero debido a las mayores precipitaciones durante todo el año, y por ende mayor nubosidad, en la Gran Sabana las variaciones anuales de la TMA son más reducidas y también las variaciones diarias son algo más equilibradas. Las temperaturas mínimas en la Gran Sabana raramente disminuyen de los 8 a 10°C, mientras que las temperaturas máximas no sobrepasan generalmente los 32 a 35°C. Naturalmente, en las zonas bajas adyacentes, como por ejemplo en el Valle de Kamarata, en Urimán o en Canaima, ubicadas entre 350 y 450 m.s.n.m, el régimen térmico es más cálido, siendo allí la TMA aproximadamente entre los 24 y 26°C. Por otra parte, las temperaturas promedio en las cumbres de las montañas presentan valores netamente inferiores, que deberían dar para la altura de 2400 m (por ejemplo en el Chimantá o el Auyantepui) una TMA de aproximadamente 12°C; en cumbres más elevadas y más expuestas, como es el caso del Cerro Roraima (2723 metros sobre el nivel del mar), la TMA probablemente será más baja, quizás alrededor de 5°C y es probable que allí ocurran eventuales heladas nocturnas. Sin embargo, hasta la fecha no se dispone de mediciones de temperatura de estas cumbres que nos permitan afirmar con alto grado de certidumbre la ocurrencia o no de heladas.

El régimen pluviométrico presenta en la región

de la Gran Sabana y sus alrededores un cuadro complejo. De acuerdo a informaciones más recientes podemos decir que en la Gran Sabana misma prevalece una estación lluviosa de no menos de 10 a 11 meses de duración, con un promedio anual de 1600 a 2200 mm de lluvia, que equivale casi al doble de la precipitación pluviosa recibida en un año promedio en el Valle de Caracas.

Sin embargo, se observan variaciones locales de la pluviosidad en la región. Así el sector meridional entre el río Yuruaní y Santa Elena, con una pluviosidad media anual entre los 1600 y 1900 mm, presenta una breve estación de sequía en los meses de diciembre a enero, pero aun en esta época ocurren lluvias esporádicas. Igualmente en la zona Norte de la Gran Sabana (entre Kamá, Luepá y Kavanayén), donde el promedio anual de lluvias varía entre 1600 y 2500 mm, también se manifiesta una corta estación de sequía solamente entre diciembre, enero y febrero.

Este cuadro cambia substancialmente en el sector suroccidental de la Gran Sabana, donde la pluviosidad media anual sube hasta valores de más de 3000 mm, como en el caso de la Misión de Wonquén. Se estima que la región alrededor del Macizo del Chimantá sea una de las más lluviosas de todo el Estado Bolívar, ya que allí y en la adyacente cuenca del río Paragua superior se están registrando valores de 4000 y más mm de lluvia por año. Allí prácticamente no ocurre una estación de sequía definida, sino solamente un ligero descenso de las lluvias durante el período enero a marzo, dando lugar a un tipo climático distintamente superhúmedo ecuatorial.

Por otra parte, en la región más al Norte, es decir, Canaima y Arekuna en el bajo Caroní, prevalece nuevamente un régimen pluviométrico marcadamente biestacional, con aproximadamente 2300 mm de lluvia distribuidos mayormente sobre 9 meses del año y que alternan con tres meses de sequía entre los de diciembre y febrero. Este tipo climático se semeja más al bien conocido clima llanero del centro del país.

Todo visitante de la Gran Sabana ha podido notar personalmente la frecuente ocurrencia de fuertes vientos soplando desde el Este por sobre las extensas altiplanicies. De hecho, el régimen de la circulación atmosférica en esta región es muy marcado, ya que aquí se encuentra la primera barrera orográfica con que tropiezan los vientos alisios del Nordeste, que constantemente soplan con mayor o menor intensidad desde el Atlántico hacia el continente suramericano. Estos alisios del Nordeste, que predominan con más vigor y frecuencia durante la estación de sequía entre finales de noviembre y febrero, se alternan con corrientes de aire provenientes del Sur y con períodos cortos de calmas, más típicas de la estación lluviosa.

Flora y vegetación

El nombre mismo de la Gran Sabana nos indica ya claramente cual será el tipo de vegetación más importante que encontraremos en esta región. De hecho, las sabanas ocupan indiscutiblemente el primer lugar entre toda la variada gama de ecosistemas desarrollados en esta región, pero también las otras formaciones vegetales, como los bosques, matorrales, arbustales, etc, juegan un papel de gran importancia en los paisajes vegetales de la Gran Sabana y sus inmediatos alrededores. Describiremos primero brevemente los tipos de vegetación más importantes que se suceden a lo largo de la principal carretera que saliendo desde El Dorado hacia el Sur, alcanza finalmente la frontera con el Brasil en las inmediaciones de Santa Elena de Uairén. Luego, pasaremos a hablar de las otras formaciones vegetales, especialmente las desarrolladas sobre las cumbres de los tepuyes, que son, sin duda alguna, las más atractivas e interesantes desde todo punto de vista. Después haber cruzado por más de una hora, casi como en un túnel, los densos bosques pluviales de la llanura entre El Dorado y el pueblo minero 'Km 88', el ojo empieza muy pronto a reconquistar una visión amplia y muy sugestiva al subir poco a poco por la empinada vertiente de la Sierra de Lema, donde comienza la verdadera ascensión a la región de la Gran Sabana. En un primer parador llamado 'Piedra de la Virgen', puede obtenerse una buena impresión del paisaje de piedemonte del Escudo Guayanés, con sus colinas y bosques en primer plano y las cálidas sabanas y chaparrales al fondo. De allí la carretera busca su camino a través de frondosos y altos bosques, las selvas nubladas de La Escalera, que cubren densamente la mitad superior de las vertientes septentrionales de la Sierra de Lema y del Cerro Venamo. Los vientos alisios que soplan casi todo el año desde el Nordeste recargados de humedad, envuelven a esta región en un permanente manto de neblina que permite a la vegetación desarrollarse en plena exuberancia, especialmente en lo que se refiere a las plantas epífitas. Los bosques de La Escalera fueron explorados hace apenas unos veinte años por Julián A. Steyermark quien ha observado allí una predominancia de helechos arbóreos, palmas, bellas musáceas del género Heliconia, aráceas y ciclantáceas terrestres, piperáceas, gesneriáceas y melastomatáceas en el sotobosque; en el estrato arbóreo abundan laureles, sapotáceas, annonáceas, y muchas otras especies más, que en algunos casos alcanzan los 30 m de alto. Los troncos y las copas están cubiertos por una gran cantidad de plantas epífitas que varían desde diminutos helechos (como las Hymenophyllaceae), pequeñas piperáceas (Peperomia), bellas aráceas y orquídeas hasta grandes rosetas de bromeliáceas.

Poco después de haber pasado el Salto del Danto en las faldas noroccidentales del Cerro Venamo, la carretera alcanza finalmente la cumbre de la sierra, donde repentinamente se abre el bosque y permite una primera impresionante vista sobre los extensos campos de la altiplanicie de la Gran Sabana. Nos encontramos allí en el punto más alto de la carretera, o aproximadamente 1350 m y de allí hacia el Sur comienza el inmenso paisaje de verdes sabanas onduladas que nos acompañará prácticamente hasta la frontera con el Brasil. La bajada desde el borde del bosque en la Sierra de Lema hasta la guarnición militar de

La Ciudadela conduce a través de unas sabanas arbustivas bajas desarrolladas sobre un suelo arenoso gris-blanquecino. Estas comunidades vegetales, muy interesantes para los botánicos y ecólogos, son muy características en toda la región de la Gran Sabana y se encuentran a menudo no sólo aquí en el sector oriental a lo largo de la carretera sino también en zonas más remotas hacia el Oeste. Los arbustos dominantes, pertenecientes a las familias Theaceae, Humiriaceae, Compositae, Ericaceae, Ochnaceae y Sapotaceae, raras veces superan los dos o tres metros de altura y presentan una típica forma esférica con copas redondeadas y densas. Sus hojas son mayormente gruesas, coriáceas, una adaptación que presumiblemente sea correlacionada con la escasa disponibilidad de nutrientes en estos suelos extremadamente pobres y ácidos. Muchas de estas especies llaman poderosamente la atención del viajero, como, por citar alguna, las grandes flores blancas de Bonnetia sessilis (Theaceae), las amarillas de Poecilandra retusa o de Ouratea sp. (Ochnaceae), o los densos fascículos de flores de un delicado color rojo púrpura de Thibaudia nutans (Ericaceae). En los meses de enero, febrero y marzo, la mirada del viajero se ve fuertemente atraída también por la Compuesta Gongylolepis benthamiana, un arbusto de unos tres o cuatro metros de alto, cuyas densas inflorescencias de color blanco crema brotan en el ápice de unos pedúnculos alargados y son muy llamativas por su belleza y frecuencia en este tipo de vegetación, especialmente más hacia el Sur de la Gran Sabana.

El estrato herbáceo de estas sabanas arbustivas es aquí bastante ralo, de manera que quede una gran proporción de espacios libres entre las macollas y arbustos. Predominan allí gramíneas duras, ciperáceas, pequeñas hierbas anuales con lindas flores moradas o rosadas de las familias Melastomataceae (Siphanthera) y Ochnaceae (Sauvagesia), o de delicadas flores amarillas como en muchas especies de Xyridaceae o Rubiaceae. Pero seguramente una de las plantas más curiosas aquí son las pequeñas Droseráceas (Drosera), cuyas hojas, de color rojo oscuro y dispuestas en rosetas sobre el suelo blanco, están cubiertas por muchísimas glándulas pegajosas: cuando un insecto incauto se posa sobre estas hojas, queda literalmente 'pegado', muriendo allí y sirviendo así de nutrimiento adicional para estas plantas insectívoras que probablemente están dotadas también de otras glándulas de tipo digestivo.

Estas sabanas arbustivas son más frecuentes en la parte más alta del sector Norte de la Gran Sabana y se extienden aproximadamente hasta un poco más al Sur del Salto Kamá. En los alrededores de San Rafael de Kamoirán, un pequeño poblado indígena a unos 25 km al Sur de La Ciudadela, puede observarse otro tipo de sabana muy característico de la Gran Sabana. Aquí encontramos extensas colonias de Stegolepis guianensis y Stegolepis ptaritepuiensis, grandes hierbas con hojas anchas, aplanadas y dispuestas en forma de abanico en la base, y con vistosas flores amarillas en cabezuelas sobre largos pedúnculos. Estas hierbas, que pertenecen a la familia de las Rapateaceae, son notablemente comunes, y hasta dominantes, en las cumbres de todos los tepuyes del Escudo Guayanés; aquí en la Gran Sabana se encuentran en su límite altitudinal inferior.

Este otro tipo de sabana crece exclusivamente sobre un suelo humoso muy oscuro, saturado de agua durante casi todo el año. Otras plantas interesantes por su forma de estas comunidades vegetales son pequeñas hierbas con rosetas basales y flores diminutas blancas agrupadas en capítulos sobre un eje alargado, como las Eriocaulaceae; plantas con rosetas foliares basales más grandes como Abolboda macrostachya con flores azules, o Orectanthescceptrum con llamativas flores amarillas, ambas de la familia Xyridaceae. Esta importante familia en la región guayanesa está bien representada aquí con un variado número de especies del género Xyris, que son mayormente pequeñas hierbas con hojas planas dispuestas en forma de abanico y con delicadas flores amarillas. Otra familia notable en este tipo de sabana es la de las bromeliáceas, que aquí tienen varias especies terrestres sumamente características: cabe mencionar, en primer lugar, la muy curiosa Brocchinia reducta, con sus hojas erectas dispuestas en forma tubular, por entre las cuales sale la inflorescencia con pequeñas flores de color blanco crema; otra especie frecuente es la Brocchinia secunda, con hojas duras formando una roseta basal y con una inflorescencia de hasta un metro o más de alto, sobre la cual aparecen numerosas flores amarillas aunque, en contraste, bastante poco vistosas.

Estas sabanas herbáceas, en las cuales casi no ocurren gramíneas, son muy afines, en su composición florística, a comunidades vegetales similares de las cumbres de los tepuyes y muy probablemente se diferenciaron de éstas durante épocas geológicas anteriores, cuando, por razones aún poco aclaradas, existía un intercambio genético más activo entre el nivel de la Gran Sabana y ciertas cumbres de tepuy adyacentes. Llama la atención que hoy en día encontramos en la Gran Sabana toda una serie de especies y géneros de distribución más amplia en las zonas altas del Escudo Guayanés, que evidentemente están viviendo aquí en su límite altitudinal inferior de distribución (en la actualidad aproximadamente 1 000 metros sobre el nivel del mar). Es por eso que estas sabanas de la Gran Sabana revisten tanto interés científico, porque ellas permiten estudiar con más detalle las características ecológicas y evolutivas que han permitido a este conjunto de especies vegetales afirmarse con éxito en un ambiente tan marcadamente distinto del que se supone sea su ambiente original.

Continuando ahora el viaje a lo largo de la carretera hacia Santa Elena de Uairén, notaremos que la gran mayoría de sabanas son campos abiertos, sin árboles o arbustos; las hierbas tienen muchas veces una coloración azulosa, glauca. Estas sabanas, dominadas por varias especies de Gramíneas, principalmente Axonopus pruinosus y Trachypogon plumosus, están ampliamente distribuidas en toda la Gran Sabana, más frecuentemente en el sector centro-meridional que en el resto.

La densidad de las macollas puede variar grandemente, en relación al tipo de suelo, al régimen hídrico en el suelo, a la exposición, etc. Así por ejemplo en la cuenca media y alta del río Arabopó, al Suroeste del Cerro Roraima, el grado de cobertura de las sabanas es muy bajo y al sobrevolar esta región se observa un paisaje casi semidesértico de coloración marrón-rojiza. Por otra parte, en la zona entre Luepá y Kavanayén, en el Norte, o en el valle inferior del río Aponguao las sabanas son mucho más densas y recubren como una alfombra verde todas las colinas y llanuras, interrumpidas sólo de vez en cuando por bosques de galería o por pequeñas islas boscosas. En general las sabanas graminosas de la Gran Sabana son comunidades vegetales pobres en especies y también muy pobres desde el punto de vista nutricional para ganado. Constituyen la excepción unas sabanas ubicadas en las planicies aluviales de los ríos mayores, como por ejemplo en el Valle del río Kukenán, del río Uairén o del río Karuay inferior, donde las condiciones nutricionales e hidrológicas de los suelos son algo más favorables, de modo que allí se ha logrado la cría de ganado en pequeña escala.

Al visitante que llega desde el Norte al río Yuruaní y luego ha pasado los poblados de San Francisco y San Ignacio, se le ofrece un espectáculo magnífico cuando baja desde las colinas al Sur de San Ignacio hacia el amplio valle del río Kukenán: allí se vuelven a ver de nuevo inmensos morichales, los cuales conforman uno de los paisajes más bellos de la Gran Sabana meridional. La palma moriche (Mauritia flexuosa), bien conocida en los Llanos de Guárico y Anzoátegui, no ocurre en la Gran Sabana por encima de los 950 m de altitud y por eso falta en el tramo más alto entre La Escalera y el río Yuruaní. Las grandes colonias de moriches en las planicies aluviales de los ríos Uairén y Kukenán se ubican entre los 800 y 900 metros sobre el nivel del mar y están desarrolladas sobre suelos pantanosos y ricos en materia orgánica. Allí las sabanas que acompañan los morichales difieren considerablemente de las otras sabanas vistas en las altiplanicies, ya que aquí son de una altura y densidad mucho más pronunciada. Allí crecen también una gran multitud de plantas acuáticas atractivas y botánicamente muy interesantes en las zonas inundables y en los pequeños pozos o lagunitas formadas por antiguos brazos o meandros de río. Así, por ejemplo, aquí se han descubierto recientemente varias especies nuevas para la Ciencia de ninfeas (Nymphaea), cuyas bellas flores rosadas podrían muy bien ser cultivadas como plantas ornamentales.

Otro tipo de vegetación peculiar de la Gran Sabana son los arbustales que se desarrollan bien sea sobre terrenos pedregosos en vertientes de colinas o cuestas, o sobre extensas acumulaciones de arena blanca. La forma de vida predominante es la de los arbustos fuertemente ramificados desde la base, generalmente no más altos de dos o cuatro metros. Algunas especies arbóreas emergen por encima de los arbustos, alcanzando hasta seis o siete metros; los arbustos suelen estar algo distanciados unos de otros, de manera que no resulta muy difícil caminar a través de estas comunidades. Las familias de plantas más importantes son las Theaceae, Humiriaceae, Melastomataceae, Ericaceae, Compositae, Aquifoliaceae, Burseraceae, Sapotaceae y varias otras más. Entre las especies más altas cabe mencionar una interesante Rutácea, Spathelia fruticosa, que tiene tallos no ramificados de hasta cuatro metros de alto con un penacho de hojas compuestas en el ápice; las inflorescencias nacen sobre pies separados que mueren después de la floración y fructificación. También aquí, como en las sabanas arbustivas mencionadas anteriormente, destacan las flores grandes y blancas de Bonnetia sessilis; otro arbusto típico de esta formación, Vantanea minor de la familia Humiriaceae, tiene delicadas flores blanco-rosadas con una suave fragancia aromática.

Buenos ejemplos de estos arbustales pueden visitarse en las vecindades del Salto Kamá alrededor del kilómetro 200 de la carretera El Dorado-Santa Elena (pág 62). El mejor período para ver la mayoría de las especies en flor es aquí entre enero, marzo y abril, es decir en la segunda mitad de la estación de sequía y comienzos de la época de lluvias.

Desde la región del Salto Kamá el ojo del visitante está atraído poderosamente por los altísimos tepuyes que empiezan a divisarse hacia el Sureste: se trata de la cadena de los tepuyes orientales, cuyos primeros representantes visibles desde la carretera son el majestuoso macizo del Ilú (o Uru)-tepui con la esbelta torre del Tramen-tepui, ambos entre 2500 y 2700 m de alto. Al continuar el viaje hacia el Sur, seguirán apareciendo el Kara-urín-tepui, cuya cumbre está cubierta por bosques, luego la torrecita algo aislada del Wadacapiapü, que en la mitología pemón es el resto del tronco del árbol de la vida; y finalmente el conjunto del Yuruaní-tepui, Kukenán (o Matauí)-tepui y el Roraima. Otro tepuy, ubicado aún más hacia el Sur en la frontera con el Brasil, el Uei (o Wei)-tepui, también llamado Cerro del Sol, no es visible desde la carretera, pero sí desde la cumbre del Cerro Roraima.

Desde aquel histórico 18 de diciembre del año 1884, cuando los naturalistas ingleses Everhard F. Im Thurn y Harry I. Perkins, alcanzando la cima del Cerro Roraima, pisaron, por primera vez en la historia de las ciencias naturales, la cumbre de un tepuy de la Guayana, la exploración científica de estas formaciones aisladas ha avanzado muchísimo, de manera que hoy en día prácticamente todas las montañas mayores del Escudo Guayanés pueden considerarse exploradas por lo menos una vez durante estos últimos cien años. Sin embargo, a pesar del amplio conocimiento que hoy en día se tiene sobre su flora, fauna, geología, etc, estas alturas no dejan de seguir ejerciendo una atracción casi mística sobre muchas personas, que esperan encontrar allí aquel misterioso 'mundo perdido', tan vívidamente descrito por Arthur Conan Doyle. El sugestivo ambiente alto-tepuyano ofrece muchas oportunidades a la libre imaginación de cualquier visitante y es por esto que cada ascensión a la cumbre de un tepuy constituye una experiencia difícilmente olvidable.

El Cerro Roraima, aparte de haber sido el primer tepuy escalado, es también el que tiene el acceso más fácil: por eso cada año un número mayor de excursionistas asciende a su cumbre por la pica en el valle que lo separa del vecino Kukenán-tepui. Para llegar allí, es necesario dejar la carretera principal poco después del poblado de San Francisco de Yuruaní en dirección hacia el Este hasta llegar al último asentamiento indígena llamado Püraítüpü (o Peray-tepui) de Roraima; de allí se deben cruzar a pie las extensas sabanas inarboladas y una serie de caños y ríos, entre ellos el río Kukenán ya cerca de la base meridional del Roraima. Luego el camino empieza a subir por las empinadas vertientes aún cubiertas por sabanas en las cuales los numerosos y grandes bloques de rocas testimonian el poder de las fuerzas erosivas que desde millones de años están atacando implacablemente estas montañas. Finalmente, en una altura de aproximadamente 1800 a 2000 m, comienza una faja boscosa muy húmeda, envuelta casi todo el año en nieblas, que rodea las bases de las paredes del tepuy. En su interior crecen frondosos helechos arbóreos y rosetas gigantes de bromelias terrestres y los troncos y ramas de los árboles están densamente cubiertos por musgos y epífitas. Lamentablemente, debido a grandes y repetidos incendios registrados en los últimos sesenta años, esos bosques nublados que están situados sobre los taludes del Roraima, han sufrido fuertes daños especialmente en sus laderas Suroeste, Sur y Este.

A una altura aproximada de 2300 m comienza la pared superior, la cual es ascendida por una grieta inclinada relativamente fácil de subir, hasta llegar finalmente a la cima en el sector Suroeste del tepuy. Es muy difícil describir la sensación que uno experimenta cuando por primera vez pone pie en la cumbre de un tepuy, ya que todo es tan diferente de lo que uno está acostumbrado a ver en otras montañas (por ejemplo en los Andes o en la Cordillera de la Costa). Ese paisaje tan extraño caracterizado por una multitud de formas pétreas sumamente raras e impresionantes, las formaciones laberínticas de torrecillas, grietas alineadas y cuevas, pobladas por unas plantas de aspecto igualmente extraño, la ausencia aparente de vida animal, todo esto, junto con un ambiente climático casi siempre tenebroso, frío y lluvioso, forma parte de una genuina experiencia tepuyana.

Más de una persona que ha visitado la cumbre del Roraima o de algún otro tepuy ha notado con asombro que a pesar de un ambiente físico que parece extremadamente hostil, allí se encuentra un mundo vegetal muy variado y rico en especies con formas muy extrañas, que evidentemente han encontrado aquí su mejor lugar de crecimiento. Esta flora peculiar de los tepuyes, que se extiende por todas las cumbres de la Guayana hasta el Sur del Territorio Federal Amazonas, constituye una de las riquezas biológicas más importantes de Venezuela, ya que representa un patrimonio genético altamente especializado y único en el mundo. Además, la cubierta vegetal de los grandes macizos tepuyanos, tales como el Auyantepui, Chimantá, Jáua o Duida, ejerce una importante función reguladora en el tan delicado balance hidrológico de nuestros grandes ríos del Sur del país.

Entre las muchas especies de plantas típicas de las cumbres de tepuy cabe mencionar aquí algunas que por su forma o belleza llaman inmediatamente la atención del excursionista. En primer lugar destacan las muchas especies del género Stegolepis de la familia Rapateaceae, del cual ya hemos mencionado dos especies al describir unas comunidades herbáceas peculiares de las partes altas de la Gran Sabana. En las cumbres de los tepuyes guayaneses existen por lo menos unas 20 especies más, todas hierbas fácilmente reconocibles por sus muy bellas cabezuelas con llamativas flores amarillas, hojas elongadas y planas dispuestas en forma de abanico y envueltas en la base por una substancia gelatinosa cuya función se desconoce. Estas hierbas pueden variar en tamaño desde apenas 20 ó 30 centímetros hasta más de 4 metros, como en el caso de la recién descubierta especie Stegolepis maguireana del Acopán-tepui en el Macizo del Chimantá. Otra planta muy curiosa es Orectanthe sceptrum, de la familia Xyridaceae, que a menudo forma grandes colonias con sus densas rosetas basales de hojas azulosas y duras, entre las cuales se yerguen las inflorescencias amarillas sobre pedúnculos de hasta un metro de alto.

Una de las plantas más interesantes es seguramente la Heliamphora, una hierba común en todos los tepuyes, que tiene las hojas transformadas en cisternas de hasta 20 cm de alto y 5 u 8 cm de diámetro y una pequeña 'tapita' en el ápice; las paredes internas de estas cisternas están cubiertas densamente por finos pelos dirigidos hacia el fondo del tubo, de manera que insectos caídos en su interior no encuentran ninguna posibilidad de salida y finalmente mueren ahogados en el agua acumulada en la cisterna. La planta posee glándulas digestivas en la base de las cisternas que le permiten descomponer los insectos atrapados y recabar así preciosos alimentos en un ambiente de por sí tan extremadamente pobre en elementos nutrientes.

Existen unas cinco especies diferentes de Heliamphora, distribuidas por casi todas las mesetas del Escudo Guayanés, que tienen en común la coloración rojo vino de sus cisternas y delicadas flores de color variable entre rosado hasta blanco, colgantes sobre un pedúnculo de hasta medio metro de alto. Es también interesante notar que estas plantas pertenecen a la familia Sarraceniaceae, que además de hallarse en los tepuyes, se encuentra únicamente en ciertas áreas de los Estados Unidos, lo cual pone en evidencia una distribución geográfica difícilmente explicable.

Las plantas mencionadas hasta ahora abundan particularmente en la cumbre del Cerro Roraima, así como también en las de los otros tepuyes orientales hasta el Ilú-tepui inclusive. La vegetación consiste esencialmente en 'islas' más o menos extensas formadas por plantas herbáceas bajas que crecen directamente sobre las rocas de arenisca. Probablemente a causa de los fuertes vientos que soplan aquí casi ininterrumpidamente durante todo el año, la vegetación arbustiva y arbórea más alta está limitada casi exclusivamente a crecer en grietas y depresiones algo más protegidas. En éstas pueden encontrarse arbolitos bajos que raramente exceden los cinco metros y entre los cuales destaca por su lindo follaje rojizo y muy tupido la Bonnetia roraimae de las Theaceae (familia del té). Naturalmente, en cumbres más extensas, como por ejemplo en el Auyantepui o en el Macizo del Chimantá, la mayor variedad de ambientes ofrece también posibilidades de desarrollo mucho más variadas para la vegetación. Así en estos macizos encontramos verdaderos bosques de altura mediana, intrincados arbustales, extensas formaciones herbáceas semejantes a sabanas y toda una gama de colonizadores de las rocas desnudas que varían desde algas negras microscópicas hasta extraños arbustos pequeños cuyas ramitas están cubiertas por hojas de tan diminuto tamaño que parecen escamas.

Entre toda esta impresionante riqueza vegetal mencionaremos aquí solamente el caso de un grupo de plantas sumamente característico, llamado Chimantaea, por el Chimantá-tepui, donde este género fue descubierto apenas hace unos 30 años. Se trata de curiosos arbustos que tienen en su mayoría un tallo erecto y no ramificado de hasta cinco metros de alto, densamente cubierto por hojas lanceoladas o lineares. Estas plantas semejan tanto a ciertas especies de frailejones andinos, no solamente en su aspecto sino también en muchas otras características botánicas, que las comunidades, formadas a veces por millones de individuos, han sido bautizadas con el término de 'arbustales paramoides guayaneses'. El género Chimantaea, del cual se conocen hasta ahora 9 especies, está casi exclusivamente limitado a las cumbres del Chimantá, ya que una sola especie ocurre además en el Auyantepui, que dista apenas 10 km del Chimantá. Las inflorescencias de estas plantas se encuentran en el ápice del tallo, casi siempre envueltas en largos pelos lanosos; las flores son de un color amarillo pálido o delicadamente moradas y florecen mayormente durante la estación de menor pluviosidad entre enero y marzo.

Esta breve excursión por el fascinante mundo vegetal de la Gran Sabana y de sus tepuyes apenas logrará darnos una vaga idea de la impresionante riqueza biológica de esta región. No debe olvidarse que buena parte del sector occidental de la Gran Sabana está cubierta por densos y frondosos bosques, que en la mayoría de los casos aún no han sido estudiados lo suficiente para poder describir aún someramente sus características forestales, botánicas y ecológicas. Por otra parte, el paisaje vegetal de la Gran Sabana forma parte indisoluble de la belleza escénica de esta maravillosa región y por eso es por lo que se ha querido llamar la atención del lector sobre éstos tan importantes aspectos de la naturaleza de la Guayana.

Fauna

La vida animal de la Gran Sabana no se revela de un modo tan evidente, ya que la mayoría de las especies viven en las islas de bosque, en los bosques ribereños o en las selvas montañas al pie de los tepuyes. Por lo tanto, es bastante difícil para un visitante ocasional encontrar animales a lo largo de la carretera de El Dorado a Santa Elena, ya que allí predominan ampliamente las sabanas abiertas que generalmente son evitadas por la mayoría de ellos. Sin embargo, la fauna típicamente sabanera, conocida desde la región de los Llanos, está bien representada también aquí, pero generalmente en densidades mucho más bajas. Así viven en estas sabanas cachichamos (Dasypus novemcinctus), la cuspa pequeña (Cabassous unicinctus), el oso hormiguero palmero (Myrmecophaga tridactyla), así como una serie de pequeños roedores (ratones), hasta el chigüire (Hydrochoerus hydrochaeris), el mayor roedor actualmente viviente en la Tierra. Esta última especie se encuentra preferiblemente en las sabanas inundables y morichales del sector meridional de la Gran Sabana, a lo largo de los ríos Yuruaní, Kukenán y Aponguao inferior. En estas sabanas más densas, similarmente como en los Llanos inundables de Apure pero claramente no tan numerosa, puede observarse también una variada avifauna, entre la cual destacan aves zancudas como las garzas blancas y el garzón soldado; los extensos morichales son visitados frecuentemente por guacamayas de espléndidos colores así como por bandadas de ruidosos loritos que comen los frutos muy apetecidos de estas palmas. Entre la herpetofauna (reptiles y anfibios) de la Gran Sabana debe mencionarse la presencia de la cascabel (Crotalus durissus), además

de un buen número de otras especies de serpientes no venenosas (cazadoras, rabo amarillo, bejuqueras, etc). En algunos ríos han sido observadas pequeñas poblaciones de babos negros (Paleosuchus trigonatus), así como también de la tortuga Phrynops geoffroanus tuberosus; estos animales (babos y tortugas), normalmente bien conocidos de las tierras bajas calientes de casi toda Venezuela, se encuentran aquí en la Gran Sabana hasta alturas de aproximadamente 1000 metros sobre el nivel del mar, donde alcanzan su límite altitudinal de distribución.

La fauna de los bosques de la Gran Sabana es naturalmente mucho más rica que la de las sabanas. Aunque hasta el momento se carece de un inventario sistemático de ella, se dispone de ciertas informaciones provenientes principalmente de los indígenas que practican aún la caza de animales silvestres para complementar su dieta. Así sabemos que entre los mamíferos abundan lapas, picures, agutís, váquiros y monos. Se tiene igualmente noticia de la presencia de tigres (Felis onca), pumas (Felis concolor), cunaguaros (Felispardalis, Felis wiedi) y tigritos (Felis tigrins). Por otra parte también han sido vistos el puercoespín (Sphiggurus insidiosus), el cuchicuchi (Potus flavus) y la comadreja (Mustela sp), todos animales de hábitos eminentemente arborícolas. Uno de los mamíferos más interesantes desde el punto de vista zoológico es sin duda una especie muy peculiar de perro de monte (Speothos venaticus), que ha sido encontrada muy pocas veces y parece estar restringida a los bosques de esta región.

En las selvas de galería vive la danta o tapir (Tapirus terrestris), que parece ser relativamente abundante especialmente en el sector más occidental de la Gran Sabana. Entre los Edentata cabe mencionar a la cuspa gigante (Priodontes giganteus), que está casi extinguida, a las perezas, de las cuales ocurren dos especies (Bradypus tridactylus y Choloepus didactylus), la primera con tres y la otra con dos dedos; y finalmente a los osos hormigueros arborícolas, tales como el oso melero (Tamandua tetradactyla).

La avifauna de los bosques es muy variada y numerosa; algunas aves muy características son el pájaro campanero (Procnias alba y Procnias averano), el pájaro minero (Lipaugus vociferans y la especie endémica Lipaugus streptophorus), los tucanes o piapocos (Rhamphastos spp.) y una gran multitud de colibrís de los colores más brillantes y variados. Entre los reptiles no puede dejarse de mencionar a la temible cuaima piña (Lachesis muta muta) y la mapanare (Bothrops atrox), ambas aparentemente bastante comunes en las selvas húmedas al pie de los tepuyes. También se ha informado de la presencia de muchas otras especies de serpientes no venenosas, incluyendo la tragavenado (Boa constrictor constrictor) y la culebra de agua en cuevas y cavidades de los ríos y caños. También la fauna de anfibios está bien presentada, incluyendo ranas tan interesantes como el sapito minero (Dendrobates leucomelas), cuya piel vistosamente coloreada en negro y amarillo está provista de glándulas altamente venenosas para defenderse de los depredadores. Es-

te veneno, la dendrobatina, es considerado como uno de los más poderosos que existen en el reino animal y es utilizado en medicina humana para tratamientos específicos de ciertas enfermedades cardíacas. Otras ranitas peculiares por su aspecto o distribución limitada son las ranas arborícolas de los géneros Hyla y Stefania, que viven en los bosques húmedos y nublados desde La Escalera en la Sierra de Lema hasta las bases de los tepuyes en el Sureste y Suroeste de la Gran Sabana. Por otra parte, en todos los asentamientos de la Gran Sabana se encuentra hoy en día al sapo común (Bufo marinus), que aparentemente se está comportando casi como una especie 'doméstica' en esta región. Pasando ahora a hablar brevemente de la fauna de las cumbres de los tepuyes de la Gran Sabana, debe notarse en primer lugar que solamente las aves, los reptiles y los anfibios han sido inventariados allí con un cierto grado de detalle. En cuanto a los demás grupos de animales, mamíferos, peces y especialmente invertebrados (insectos, arácnidos y crustáceos), se necesitan aún muchos estudios más detallados para estar en condiciones de caracterizar la magnitud de su presencia y apreciar su verdadera importancia en los ecosistemas alto-tepuyanos. Entre las aves se ha observado que existe un discreto número de especies y subespecies endémicas: de las casi 100 especies típicas de las cumbres de todos los tepuyes de la Guayana, menos de 20 ocurren exclusivamente en las zonas altas de los tepuyes alrededor de la Gran Sabana. Entre éstas nos limitaremos a mencionar la Diglossa major, una pequeña ave de plumaje azul oscuro-negruzco y con el pico levemente curvado hacia abajo en la punta, que ha sido observada frecuentando asiduamente las flores de las Chimantaea en el Macizo del Chimantá y que por lo tanto podría ser uno de los polinizadores de estas interesantes plantas.

La fauna de mamíferos en los tepuyes no parece ser muy abundante: en los tepuyes orientales, como el Roraima, Kukenán o Ilú-tepui nunca se han visto mamíferos grandes, probablemente a causa del ambiente demasiado inhóspito para este tipo de animales. Por otra parte, en los vastos macizos del Auyantepui y del Chimantá han sido observados en pocas ocasiones el zorro guache (Nasua nasua) y una especie montana de rabipelado (Didelphis albiventris); sin embargo, es muy probable que en los bosques y densos arbustales de estos tepuyes vivan otras especies de pequeños roedores y marsupiales, pero que hasta el momento no han sido encontrados aún. Además se han recolectado muchas especies de murciélagos que encuentran refugios ideales en las numerosísimas cuevas y grietas de las paredes rocosas.

Por otra parte, la herpetofauna de las cumbres de tepuy es muy interesante desde el punto de vista zoológico y zoogeográfico, aunque no muy numerosa en especies e individuos. En los tepuyes orientales se han descubierto recientemente varias especies de una ranita curiosa, completamente negra y de movimientos muy lentos, que en caso de peligro se convierte en una pequeña bolita negra, inmóvil.

Estas ranitas, pertenecientes al género Oreophrynella, viven mayormente debajo de rocas y en grietas y su coloración negra, igual a la superficie de las rocas, les brinda una buena protección mimética. Solamente en el Chimantá-tepui ha sido recolectada una vez una serpiente venenosa (Bothrops castelnaudi), que es una mapanare de dimensiones menores y de coloración pardo-amarillenta con manchas negras que le confieren un aspecto similar a ciertas colonias de líquenes. Pero del resto puede afirmarse que en las cumbres de los tepuyes no parecen existir serpientes ponzoñosas, ya que a excepción del ejemplar mencionado anteriormente, no se tienen otras evidencias al respecto.

Uno de los aspectos más agradables de las cumbres de los tepuyes es la ausencia casi total de insectos molestos como zancudos o mosquitos. Los temidos 'jejenes' o 'puri-puri' (Simulidae) tan abundantes (¡y dolorosos!) en ciertas áreas de la Gran Sabana, no sobrepasan generalmente los 1 500 m de altitud. Otros insectos son igualmente poco numerosos, aunque se pueden observar de vez en cuando pequeñas mariposas de bellos colores. Un curioso grillo, de tamaño mediano y color marrón claro, vive bajo el agua en pequeños pozos y caños. Sin embargo, nada se sabe hasta el momento sobre sus hábitos de vida acuáticos, que son bastante extraordinarios en este grupo animal.

En resumen, podemos afirmar que la fauna en la región de la Gran Sabana está mayormente limitada a las zonas boscosas, mientras que en las sabanas abiertas sólo se encuentran poblaciones reducidas de animales mayores como consecuencia del bajo nivel de nutrientes disponibles en esta antigua región. Similarmente, la fauna de las cumbres de los tepuyes muestra densidades poblacionales muy bajas, pero en ciertos grupos, como por ejemplo en el caso de los anfibios, encontramos interesantes adaptaciones específicas a las condiciones de vida peculiares de estos ambientes montanos.

Conservación de la Gran Sabana

Una grandísima parte de la Gran Sabana está incluida desde hace más de 20 años en el Parque Nacional 'Canaima'. En el decreto original del 12 de junio de 1962, se incluía un área de aproximadamente 1 000 000 de hectáreas, que sucesivamente ha sido aumentada hasta la superficie actual de unos 3 000 000 de hectáreas, por lo cual este parque nacional es, hoy en día, el mayor de Venezuela y el sexto a nivel mundial. El área actual del parque abarca toda la cuenca media y superior del río Caroní, a partir de la boca del Antabare, aproximadamente 25 km al Norte de Canaima, hasta sus cabeceras en los tepuyes orientales del Roraima, Kukenán e Ilú-tepui, excluyéndose solamente las subcuencas de los ríos Ikabarú, Surucún y Uairén. Con esta medida el Gobierno Nacional no sólo ha querido preservar indefinidamente las extraordinarias bellezas escénicas de esta región, sino también implementar un instrumento efectivo para la conservación de los recursos hidráulicos de la cuenca del

Caroní, alimentador principal de la mayor represa hidroeléctrica del país.

A pesar de la baja densidad de población humana en la Gran Sabana, esta región ha sufrido y sigue sufriendo impactos humanos considerables. Cualquier visitante que llega a la altiplanicie de la Gran Sabana desde El Dorado puede fácilmente darse cuenta de las grandes deforestaciones ocurridas en el pasado reciente en muchos sitios a lo largo de la carretera. En la mayoría de los casos se trata de bosques destruidos por la acción del fuego, frecuentemente aplicado por los indígenas en las sabanas y que luego se ha extendido hacia los bosques. Especialmente en el tramo entre La Ciudadela y Kavanayén, en el Norte de la Gran Sabana, se observan numerosas áreas de sabanas secundarias aún con los restos de los troncos quemados en pie, mudos testigos de la vegetación forestal originaria. Este triste espectáculo también se repite en grandes trechos en otros sectores de la Gran Sabana: no cabe duda alguna de que en los últimos siglos la superficie boscosa de esta región ha sido irreversiblemente reducida más y más. Hasta hoy no se dispone de información segura ni sobre la causa de las frecuentes quemas, ni sobre los reales efectos destructivos producidos por éstas en los diferentes sectores, pero desde hace algunos años se han empezado a tomar medidas para someter a control este preocupante fenómeno. La compañía Electrificación del Caroní (EDELCA) de la Corporación Venezolana de Guayana está realizando una intensa labor de prevención y combate de incendios en la cuenca alta del río Caroní; al mismo tiempo, esta misma compañía, en colaboración con diferentes entidades científicas del país y del exterior, conducen una serie de estudios de medio y largo alcance para determinar el estado actual de las condiciones físicas y biológicas de la cuenca, a fin de recabar información que sirva de base para acciones concretas de protección.

Aparte del impacto destructivo del fuego, que se produce casi siempre en gran escala, se observan en la Gran Sabana y zonas adyacentes impactos de otra índole, como, por ejemplo, los derivados de la actividad minera. Esta se inició aproximadamente hace cien años y consiste esencialmente en la búsqueda de oro y diamantes en lechos de los caños y ríos. Debido a la progresiva industrialización de esta actividad, así como también al aumento del número de personas dedicadas a ella, en ciertos casos se observan graves alteraciones en los cursos de estos ríos, con el consiguiente aumento de la erosión fluvial y por ende una mayor carga de sedimentos río abajo, que en última instancia perjudicarían el regular funcionamiento de la represa hidroeléctrica de Guri. Un claro ejemplo del grado de alteración causado por la minería puede verse en la región de San Salvador de Paúl, ubicada un poco más al Sur de Canaima pero en la ribera izquierda (occidental) del río Caroní: allí grandes áreas han sido totalmente deforestadas y las arenas blancas lavadas están siendo dispersadas sobre una extensión de varios kilómetros cuadrados. En los alrededores de Urimán, en la ribera derecha (oriental) del medio Caroní, pueden reconocerse todavía hoy los efectos de las deforestaciones hechas ya hace treinta años, en pleno 'boom' minero.

Actualmente se trabaja, a nivel gubernamental, en la elaboración de un plan rector para la actividad minera en esta región, teniendo en cuenta las peculiares condiciones naturales y humanas de la misma.

Finalmente, cabe mencionar el impacto causado por el número de turistas y excursionistas, que va aumentando cada año. Este hecho requiere la creación e implementación de una serie de programas reguladores y de prevención. Naturalmente, en este caso el éxito dependerá esencialmente del grado de colaboración que demuestren los propios visitantes. En consideración de la importancia cada año mayor que está adquiriendo la región de la Gran Sabana, no solamente desde el punto de vista meramente económico, sino también cultural, científico y turístico, cualquier esfuerzo tendiente a preservar y mejorar sus maravillosos ambientes y recursos será un aporte invalorable, que indudablemente contribuirá a un mejor bienestar de todos en esta magnífica, extraordinaria región, cuyas características son únicas en todo el mundo.

Agradecimientos
Se agradece la colaboración de colegas y amigos por sus críticas y observaciones, en particular a Freddy Barreat, Stefan Gorzula, Glenda Medina y Manuel Pérez Vila.

Otto Huber

Pequeña historia de la Gran Sabana. Bibliografía

Arellano Moreno
Antonio

'Relaciones geográficas de Venezuela.'
Recopilación y estudio preliminar y notas de
Biblioteca de la Academia Nacional de la Historia.
Número 70.
Caracas, 1964.

Armellada
Cesáreo de (fray)

'Como son los indios pemones de la Gran Sabana.'
Cuadernos verdes.
3ª Conferencia Interamericana de Agricultura.
Caracas, 1946.

Armellada
Cesáreo de (fray)

'Por la Venezuela indígena de ayer y de hoy.'
Sociedad de Ciencias Naturales La Salle.
Monografías, número 5.
Caracas, 1960.

Incluye valiosos relatos de misioneros
de los siglos XVII y XVIII.

Armellada
Cesáreo de (fray)

'Vista panorámica de la literatura Pemón.'
Montalbán, Universidad Católica Andrés Bello
Número 1.
Caracas, 1972.
Páginas 319-332.

Armellada
Cesáreo de (fray)

'Pemontón Taremurú (Invoaciones mágicas de los
indios pemón).'
Universidad Católica Andrés Bello.
Caracas, 1972.

Armellada
Cesáreo de (fray)

'Taurón Pantón. (Así dice el cuento).'
Universidad Católica Andrés Bello.
Tomo II.
Caracas, 1973.

Armellada
Cesáreo de (fray)

'Penatosán Eremuk (Cantares de los antiguos).'
Montalbán, Universidad Católica Andrés Bello.
Número 4.
Caracas, 1975.
Páginas 639-661.

Armellada
Cesáreo de (fray)

'Fuero Indígena Venezolano.'
Montalbán, Universidad Católica Andrés Bello.
Número 7.
Caracas, 1977.
páginas 7-423.

Texto ampliado del que publicó el mismo autor
con igual título en 1954, edición
de la Comisión Indigenista Nacional.

Armellada
Cesáreo de (fray) y Fr. Mariano Gutiérrez Salazar.

'Diccionario Pemón (2ª edición).'
Ediciones Corpoven.
Caracas, 1981.
Pemón-Castellano y Castellano-Pemón.

Atlas de Venezuela
Segunda edición

Ministerio del Ambiente y Recursos Naturales Renovables.
Caracas, 1979.

Bate
Luis Felipe

'Comunidades primitivas de cazadores recolectores
indígenas en Sudamérica.'
I Historia General de América, bajo la Dirección
de Guillermo Morón.
2-I Período indígena.
Caracas, 1983.
Ilustraciones, mapas.

Bueno
Ramón (fray)

'Apuntes sobre la provincia misionera del Orinoco
e indígenas de su territorio, con algunas
otras particularidades.'
Caracas, 1933.
La obra fue redactada hacia 1800-1804.

Corrocera
Buenaventura de (fray)

'Misión de los Capuchinos en Guayana.'
Introducción, resumen histórico y compilación de
Biblioteca de la Academia Nacional de la Historia.
Número 139, 140, 141.
Caracas, 1979.
3 volúmenes.
Cuadros estadísticos.

Civrieux
Marc de

'Los Caribes y la Conquista de la Guayana Española
(Etno-historia Kariña).'
Montalbán, Universidad Católica Andrés Bello.
Número 5.
Caracas, 1976.
Páginas 875-1021.
Mapa plegable.

De Armas Chitty
J.A.

'Guayana: su tierra y su historia.'
Caracas, 1964-1968.
2 vols.
Ilustraciones; contiene una extensa bibliografía.

González Oropeza
Hermann

'Atlas de la Historia Cartográfica de Venezuela.'
Editorial Papi.
Caracas, 1983.
Obra fundamental en su género, no sólo por
la cuidadosa reproducción de numerosos mapas,
sino por los valiosos comentarios que los acompañan.

Gutiérrez Salazar
Mariano (fray)

'Los Pemón: su habitat, su cultura.'
Montalbán, Universidad Católica Andrés Bello.
Número 6.
Caracas, 1977.
Páginas 495-550.

Koch-Grünberg
Theodor

'Del Roraima al Orinoco.'
(Traducción de Federica de Ritter).
Presentación de Luis Pastori.
Ediciones del Banco Central de Venezuela.
Caracas, 1979-1981.
2 volúmenes.
La edición original en alemán se publicó, con el título
Vom Roroima zum Orinoco, en Berlín, 1917-1923, en 5 vols.
La versión española recoge sólo el contenido
de los 3 primeros.

Matallana
Baltasar de (fray)

'La Gran Sabana.'
Boletín de la Sociedad Venezolana de Ciencias
Naturales IV: 29.
Caracas, 1937.
Páginas 10-87.

Mundó Freixas
Juan María

'Viaje al Alto Caroní.'
Cultura Venezolana, número 97.
Caracas, septiembre de 1929.
Páginas 91-97.

Ojer
Pablo

'La formación del Oriente Venezolano, I.'
Creación de las Gobernaciones.
Caracas, 1966.
Unico tomo publicado.

Ojer
Pablo

'Robert H. Schomburgk explorador de Guayana
y sus líneas de frontera.'
Universidad Central de Venezuela.
Instituto de Estudios Hispanoamericanos.
Caracas, 1969.
Mapas.

Pobladura
Pacífico de (fray)

'Héroes, 50 años de trabajo misionero y promoción humana.'
León, 1976.
Ilustraciones mapas.

Libro fundamental para la apreciación de la obra de los
misioneros a partir de 1924.

Ramos Pérez
Demetrio

'El Mito del Dorado' su génesis y proceso;
con el Discovery de Walter Raleigh
(traducción de Betty Moore) y otros papeles doradistas.
Biblioteca de la Academia Nacional de la Historia.
Número 116.
Caracas, 1973.

Röhl
Eduardo

'Exploradores famosos de la naturaleza venezolana.'
(2ª edición).
Prólogo de Jorge Schmidke.
Fundación de Promoción Cultural de Venezuela.
Caracas, 1983.
Ilustraciones.

Sanoja
Mario

'De la recolección a la agricultura.'
Historia General de América, bajo la Dirección
de Guillermo Morón. 3.
Período Indígena, 1982.
Ilustraciones, mapas.

Schomburgk
Richard

'Travels in British Guiana during the years 1840-1844.'
Carried out under the Comission of his Majesty
the King of Prussia 2 vols.
Leipzig, 1848.
Ilustraciones, mapas.

El autor, hermano de Robert, describe la segunda
etapa de los viajes de éste.

Schomburgk
Robert H.

'A description of British Guiana Geographical and Statistical.'
Londres, 1840.
Mapa plegable.

Simpson
George Gaylord

'Los indios Komarakotos',
Revista de Fomento, III: 22-25.
Caracas, 1940.
Páginas 201-660.

Thomas
David John

'Los Pemón', en Los aborígenes de Venezuela.
Volumen II, Etnología Contemporánea.
Fundación La Salle, Monografía, número 29.
Caracas, 1983.
Ilustraciones, mapa plegable.
Páginas 303-379.
Incluye una amplia bibliografía sobre el tema.

Es el más actual y completo de los trabajos que conozco.

Vegas
Luis Felipe y Armando

'Notas Geográficas sobre La Gran Sabana.'
Boletín de la Sociedad Venezolana de Ciencias Naturales.
Número 55.
Caracas, abril-junio 1943.
Páginas 201-204.

Vila
Marc Aureli

'Els Caputxins Catalans a Veneçuela.'
Barcelona, 1969.
Ilustraciones, mapas.

Vila
Pablo y otros

'Geografía de Venezuela.'
Ministerio de Educación.
Caracas, 1960-1965.
2 volúmenes.
Ilustraciones, mapas, cuadros.

El tomo I: El Territorio Nacional y su ambiente físico.
El tomo II: El paisaje natural y el paisaje humanizado.
Los tomos III y IV previstos, no se han publicado.

Vila
Pablo

'Visiones geohistóricas de Venezuela.'
Caracas, 1969.
Ilustraciones, mapas.

Veánse, especialmente, sus ensayos
'Etapas históricas de los descubrimientos
del Orinoco' (p 37-54) y 'Los predescubrimientos
de la Gran Sabana' (p 140-147).

Mi gratitud al Magister en Historia Manuel Donis Ríos por su valiosa colaboración y por haberme facilitado la consulta de su tesis magistral Evolución histórica de la Cartografía de Guayana y su significación en los derechos venezolanos sobre el Esequibo, 2 vols. un atlas, Maestrías en Historia de las Américas, UCAB, 1983.

Igualmente agradezco al doctor Otto Huber el haberme permitido consultar los originales de un trabajo suyo, de próxima publicación en la revista Ciencia y Tecnología del CONICIT, titulado 'Cien años de exploraciones científicas en las montañas de la Guayana'.

Manuel Pérez Vila

Die «Gran Sabana»

von Otto Huber,
Bilderläuterungen von Karl Weidmann

Die Region von Guayana ist zweifellos eine der interessantesten Landschaften Venezuelas. Sie breitet sich südlich und östlich des mächtigen Orinokos aus und umfaßt ein Gebiet von etwa 413.750 Quadratkilometern, was fast der Hälfte der gesamten Fläche des Landes entspricht. Diese auch heute noch sehr dünn besiedelte Gegend gehört zu den reichhalltigsten Tropengebieten Amerikas, nicht nur wegen ihrer riesigen Vorkommen an Bodenschätzen (Eisen, Bauxit, Gold, Diamanten, Wasser zur Stromgewinnung, Nutzhölzer), sondern auch wegen inhrer außergewöhnlichen physiographischen und biologischen Vielfältigkeit. Seit den ersten Forschungsreisen in diese Gegend im sechzehnten und siebzehnten Jahrhundert übte der Traum von der goldenen Stadt «El Dorado» eine magische Anziehungskraft auf zahlreiche Abenteurer aus, von denen freilich nur die wenigsten fanden, was sie sich erträumt hatten, während die meisten glücklos und in Armut blieben. Einer der berühmtesten von ihnen war zweifellos Sir Walter Raleigh, der uns einen äußerst lebendigen Bericht über seine «Entdeckungsreise in das große, reiche und schöne Land der Guayana» präsentierte, der im Jahr 1595 in London veröffentlicht wurde.

Nach über vier Jahrhunderten weiterer Forschungen und unzähliger, Expeditionen jeglicher Art, nicht nur in der venezolanischen Guayana, sondern auch im heutigen Guayana (früher Britisch-Guaiana), in Surinam (früher Holländisch-Guaiana), in Französisch-Guaiana und in der nördlichen Grenzregion Brasiliens, konnte man, unter Zuhilfenahme modernster Techniken, viele der großen Geheimnisse dieser unwegsamen Gebiete entschlüsseln. So wissen wir nun zum Beispiel, daß der große See, «Manoa» oder «Lacus Parimae» genannt, den man im tiefsten Inneren des Landes vermutete, gar nicht existiert. Man hatte früher nämlich angenommen, daß dieser See die Quelle aller großen Flüsse der Region sei und an seinen Ufern die mythische goldene Stadt El Dorado liegen sollte. man fand auch keine Menschen ohne Köpfe, geschweige denn solche mit einem so großen Fuß, daß sie ihn als Schirm benutzen könnten. Hingegen besitzen wir heute ein ziemlich klares Bild über die hauptsächlichen Gebirgszüge, Täler und Flüsse, sowie über die Flora und die geologischen Eigenschaften, und wir haben auch Vieles über die Eingeborenen dieser weiten Region gelernt. Sie ist daher nicht länger ein weißer Fleck auf der Landkarte. Jedoch bietet die Guayana-Region auch dem häufigen Besucher immer noch einen reichen Schatz an neuen und aufregenden Erfahrungen, sei es wegen der bizarren Formen der typischen Tafelberge (von den Eingeborenen der Gran Sabana «Tepuis» genannt) mit ihren senkrechten Wänden, die mehrere hundert Meter aus den tropischen Tieflandwäldern hochragen, oder wegen ihrer eigenartigen teefarbenen Flüsse, oder einfach wegen der berauschenden Wildheit ihrer riesigen Urwälder. Eine mehr pragmatische Sicht der Dinge gebietet uns aber zuzugeben, daß wir, trotz der enormen Fortschritte, die wir auf dem Gebiet der Erforschung ihrer natürlichen Gegebenheiten erreicht haben, immer noch weit davon entfernt sind, eine Vielzahl von komplexen Lebenserscheinungen und physikalischen Phänomenen, die diese weite Region aufweist, zu verstehen.

In der südöstlichen Ecke der venezolanischen Guayana, die von dem Fluß Caroní begrenzt wird, der in den Unterlauf des Orinoko einmündet, erstreckt sich ein ausgedehntes Hochland, das in der Landessprache «Gran Sabana» genannt wird, was auf deutsch soviel wie «Große Savanne» bedeutet. In einer Gegend, die hauptsächlich durch dichten, immergrünen Urwald gekennzeichnet ist, der die Tiefebenen, die Hügel und das Hochland in weiten Teilen bedeckt und sich bis an den Fuß der Felswände der Tafelberge erstreckt, ist es sicherlich bemerkenswert, wenn man plötzlich auf eine offene, baumlose Savanne stößt, die sich bis zum Horizont ausdehnt. Diese Savanne war bis vor etwa fünfzig Jahren ein mehr oder weniger unzugängliches Gebiet und man wußte praktisch nichts über ihre natürlichen Verhältnisse. Nur aus den sporadischen Erzählungen der Missionare, die man von Zeit zu Zeit in den Städten am Unterlauf des Orinoko oder sogar in der Hauptstadt Caracas zu hören bekam, konnte man eine vage Idee ihrer Existenz und ihrer Größe erahnen.

Um das landwirtschaftliche und ökonomische Potential dieser Grasfluren zu erforschen, organisierte die venezolanische Regierung im Jahre 1939 eine große Expedition, an der verschiedene Wissenschaftler teilnahmen, unter ihnen Geologen, Bodenkundler und Biologen. Das Ergebnis war ein umfangreicher Bericht, der interessante und aus erster Hand stammende Daten über die geologischen, edaphischen, klimatischen, botanischen, sanitären und ethnischen Gegebenheiten dieser Region lieferte (Aguerrevere et al., 1939). Vor dieser Expedition war nur der südlichste Teil, an der Grenze zwischen Brasilien und Guyana, und das Gebiet um den mächtigen Berg Roraima von den Geographen und Naturforschern Richard und Robert Schomburgk (zwischen 1838 und 1844), von dem Forscher Everard Im Thurn (1884 und 1894), dem Botaniker Ernst Ule (1909/10) und dem Anthropologen Theodor Koch-Gruenberg (1911), sowie von dem Zoologen G.H.H. Tate (1927/28) erforscht worden.

Da aus den Ergebnissen der Expedition von 1939 hervorging, daß das Gebiet der Gran Sabana nicht besonders für herkömmlichen Landbau geeignet war, und da das Gebiet wegen der nicht vorhandenen Infrastruktur, wie Landstraßen und Schiffahrtswegen, praktisch unzugänglich war, lenkten die Regierungen der folgenden dreißig Jahre ihr Augenmerk kaum auf diese Region. Obwohl in diesem Zeitraum mehrere wichtige wissenschaftliche Expeditionen zu verschiedenen Bergen und Teilen der Gran Sabana stattfanden, die die Kenntnisse auf botanischem, zoologischem und geographischem Gebiet beträchtlich erweiterten, war es erst der Bau einer Landstraße in den sechziger Jahren, die von Nord nach Süd quer durch die Savannen führte, der wieder ein gehobenes Interesse an dieser außergewöhnlichen Landschaft und ihren potentiellen Ressourcen weckte.

Heute verbindet diese Straße die Goldgräberstadt El Dorado, am nördlichen Randgebiet des Guayana-Schildes gelegen, mit dem Ort Santa Elena de Uairén, nahe der brasilianischen Grenze im Süden. Sie wurde soeben in ihrer ganzen Länge neu ausgebaut und asphaltiert und bietet einer schnell anwachsenden Zahl von Besuchern die einmalige Gelegenheit, unberührte Natur in einer der schönsten und anregendsten Landschaften im nördlichen Südamerika auf relativ bequeme Art zu erleben. Gleichzeitig bringen die inzwischen gut ausgestatteten touristischen Einrichtungen von Canaima, am nordwestlichen Rand der Gran Sabana, die Möglichkeit mit sich, der ursprünglichen Natur des uralten Guayana-Schildes hautnah zu begegnen.

Einige Daten über die Gran Sabana und ihre Umgebung

Bei dem Gebiet, das für gewöhnlich Gran Sabana genannt wird, handelt es sich um weite Hochlandebenen im südöstlichsten Teil des venezolanischen Bundesstaates Bolívar, der im Osten an Guyana und im Süden an Brasilien grenzt. Dieses Hochland, das eine ungefähr trapezoide Form besitzt, nimmt etwa eine Fläche von 20.000 Quadratkilometern ein und

erreicht eine durchschnittliche Höhe von 1.400 Metern im Norden, welche kontinuierlich abnimmt und im Süden etwa 750 Meter beträgt. Es ist von verschiedenen eindrucksvollen Gebirgsketten umgeben, welche alle diesen typischen flachen Abschluß nach oben aufweisen, die sogenannten Tafelberge oder Tepuis. So findet man im Südosten die Kette der östlichen Tepuis, welche aus dem Roraima, dem Kukenán, dem Yuruaní, dem Wadakapiapué, dem Karaurín und dem Ilú besteht.

Der höchste dieser Tepuis ist der Roraima, mit 2.723 Metern. Im Norden erstreckt sich ein etwas niedrigeres Gebirgssystem, die Sierra de Lema, von Ost nach West, dessen höchste Erhebung im östlichen Teil der fast vollständig bewaldete Cerro Venamo (ca. 1600 Meter) ist. Im Westen dieses Gebirgszugs schließt sich eine weitere Kette an, welche die Berge Ptari, Kamarkaiwarai, Terekeyurén, Murisipán und Aparamán umfaßt, die wiederum Höhen von 1.700 bis 2.450 Metern erreichen. Am westlichen Rand der Gran Sabana erstreckt sich eines der größten Gebirgsmassive des Guayana-Schildes, der majestätische Chimantá, mit seinen mehr als 700 Quadratkilometer Größe und Höhen zwischen 1.600 und 2.600 Metern. Schließlich und endlich kommen wir zu der südlichen Begrenzung der Gran Sabana, welche in einer Bergkette namens Sierra Pakaraima besteht, die ähnlich wie die Sierra de Lema von Osten nach Westen ausgerichtet ist und wie diese kaum höher als 1.500 Meter ist.

Die auf diese Weise begrenzte Gran Sabana präsentiert sich dem Betrachter in zwei verschiedenen Landschaftsformen: Im Vordergrund ein grasbewachsenes, sanftes Hügelland, das von kleinen Bächen und Flüssen durchquert wird, während im Hintergrund die Silhouetten von massiven, aber gleichzeitig grazilen, turmähnlichen Bergen dominiert, deren steile Hänge ohne Übergang aus dichten Wäldern emporrangen. Die geologische Beschaffenheit dieser Gegend ist ziemlich kompliziert, aber im allgemeinen kann man sagen, daß das Fundament der Gran Sabana und der sie begrenzenden Berge aus metamorphem Grundgestein (wie zum Beispiel Granit) besteht, auf welchem eine Decke von hauptsächlich aus Sandstein bestehenden Ablagerungsgesteinen ruht, welche vor rund 0,8 bis 1,6 Milliarden Jahren abgelagert wurde. Diese Sandsteine, die in der gesamten Guayana-Region zu finden sind, haben gewöhnlich einen hohen Anteil von Quarzkristallen und werden generell als «Roraima-Sandsteine»

bezeichnet, da das von diesem Berg stammende Material als erstes untersucht und beschrieben wurde. Sandsteine bilden sich durch die Überlagerung von unzähligen, in etwa horizontal gelagerten, feinen Schichten von verkitteten Sandkörnern, die gelegentlich eine Stärke von zusammen mehr als 3.000 Meter erreichen. Die ungleichmäßige Erosion dieser Sandsteinschichten, begleitet von gewaltigen tektonischen Bewegungen in verschiedenen geologischen Abschnitten des Guayana-Schildes während Jahrmillionen, haben die heutige Landschaft der Tafelberge hervorgebracht. Dazu kam, daß in jüngeren geologischen Epochen (zum Beispiel vor ca. 600 Millionen Jahre) mehrfach mächtige Ströme von magmatischem oder vulkanischem Gesteinsmaterial in die Sandsteinschichten eingedrungen sind und diese vertikal und horizontal aufgebrochen haben, wobei sich Gräben und Schwellen aus Diabas-Ablagerungen bildeten, von denen einige durch den späteren Erosionsprozess der darüberliegenden Sandsteinschicht an die jetzige Erdoberfläche gelangten. Wegen der mittleren Höhenlage der Gran Sabana ist dort nichts von dem granitenen Fundament der Guayana–Platte zu sehen, sondern nur an deren Nord– und Südrändern. Die primären geologischen Merkmale der Gran Sabana sind daher die Sandstein– und Diabas-Felsformationen, wobei erstere für die typischen rechteckigen Bergformen verantwortlich sind und letztere für die sanften, abgerundeten Hügel.

Aus der unterschiedlichen Beschaffenheit der Gesteinsarten ergibt sich, daß die aus ihrer Verwitterung entstehenden Böden auch grundsätzlich verschiedenartige chemische und physikalische Eigenschaften aufweisen. So bilden die alten Sandsteine, die von Natur aus arm an Elementen, aber reich an Quarzverbindungen sind, nährstoffarme, sandige Böden, die keine ausgeprägte Fähigkeit der Wasserspeicherung besitzen. Dagegen gibt der Diabas während des Verwitterungsprozesses weitaus mehr chemische Elemente frei, was zur Folge hat, daß auch die aus ihm entstehenden Böden reichhaltiger und physikalisch günstiger entwickelt sind, da sie einen ziemlich hohen Anteil an Tonen aufweisen, die eine größere Wasser-Speicherkapazität haben. Diese verschiedenen Bodenarten in der Gran Sabana sind in großem Maße dafür verantwortlich, daß wir dort so verschiedene Vegetationstypen vorfinden und daß die landwirtschaftliche Nutzbarkeit dieses Gebiets so gering ist, da die Ausdehnung der nährstoffarmen Sandböden bei weitem jene der reicheren Tonböden übertrifft.

Die allgemeinen klimatischen Bedingungen der Gran Sabana sind einigermaßen einheitlich, obwohl kleine regionale Unterschiede klar zu erkennen sind. Die Temperaturen werden als sehr angenehm empfunden, da bei einer durchschnittlichen Höhe von 1.000 Metern die Jahresdurchschnittstemperatur bei ca. 21°C liegt, mit Höchstwerten von 32-35°C und Tiefsttemperaturen von nicht weniger als 12°C. Aufgrund ihrer geographischen Lage im Tropengürtel sind die thermischen Schwankungen während eines Tages ziemlich ausgeprägt, über das Jahr gesehen aber sehr gleichförmig. Das spiegelt sich auch in den geringen jahreszeitlichen Wetterunterschieden wider, die nicht durch starke Temperaturwechsel gekennzeichnet sind, wie das in den gemäßigten Klimazonen der Erde der Fall ist, sondern durch eine alternierende Abfolge von Regen und Trockenzeiten. So ist zwischen den Monaten Dezember und März/April die monatliche Niederschlagsmenge deutlich geringer als im Rest des Jahres. Im allgemeinen liegt die jährliche Regendurchschnittsmenge im Hochland der Gran Sabana zwischen 1.600 und 2.500 Millimetern, wobei sie jedoch im nördlichen, höher gelegenen Teil etwas höher ist. Auch die Intensität der Trockenzeit, zwischen Dezember und März, weist gerinfügige lokale Unterschiede auf, was auf topographische und makroklimatische Faktoren zurückzuführen ist.

In größeren Höhen, wie zum Beispiel auf den äußeren Tafelbergen auf circa 2.500 Metern, ist das Klima um einiges härter. Die Jahresdurchschnittstemperatur liegt dort bei 10°C bis 12°C und die jährliche Durchschnitts/Niederschlagsmenge beträgt 2.500 bis 3.000 Millimeter. Bis heute wurden aber noch keine Gefrierpunkt-Temperaturen gemessen, nicht einmal auf dem Roraima, dem höchsten aller Tafelberge dieser Region. Trotzdem kann man annehmen, daß an besonders exponierten und windigen Gipfeln gelegentlich kurze Frostperioden auftreten dürften.

Die Gran Sabana und ihre im Osten anschließenden Tafelberge bilden das erste größere topographische Hindernis für die fast ohne Unterlaß wehenden Nordost-Passatwinde. Daher sind die Gipfel dieser östlichen Tepuis (Roraima bis Ilú) häufig in dichte Wolkenformationen eingebettet, welche die höhergelegenen Hänge un Bergspitzen mit einer außergewöhnlich hohen Luftfeuchtigkeit

versorgen. Selbstverständlich ist diese Wolkendecke während der Regenzeit viel stärker ausgeprägt. In dieser Periode werden die Nordost-Passatwinde zusätzlich von starken Luftströmungen aus südlicher Richtung noch an Stärke und Häufigkeit übertroffen.

Die reichlichen Regenfälle der Gran Sabana werden von einem dichten Netz von Fluß-und Bachläufen aufgefangen, die alle schließlich in den Caroní-Fluß münden. Von den Gipfeln der Tepuis stürzen ungezählte und eindrucksvolle Wasserfälle entlang der senkrechten Felswände in die Tiefe. Der berühmteste von ihnen ist der Angel-Wasserfall, der im Zentrum des Auyántepui-Massivs gelegen ist. Mit seinen tausend Metern ist er der höchste Wasserfall der Erde. Man kann ihn von Canaima aus, in einer Drei-Tage-Bootsfahrt auf dem Unterlauf des Carrao-Flusses, erreichen. Andere sehenswerte Wasserfälle der Gran Sabana sind der Torón-merú und der Aponguao-merú, welche beide am Oberlauf des Aponguao-Flusses liegen und auf der Landstraße von Parupa aus leicht zu erreichen sind. Weiter sei noch der Kamá-merú des gleichnamigen Flusses genannt, der von der Landstraße, die nach Santa Elena führt, überquert wird und somit sehr leicht zugänglich ist. Alle diese Wasserfälle «merú» heißt in der Sprache der Eingeborenen der Gran Sabana Wasserfall) führen auf besonders eindrucksvolle Weise die enormen Kräfte der Erosion vor Augen, die den extrem harten Sandstein unaufhörlich bearbeiten und schließlich besiegen.

Die meisten Bäche und Flüsse der Gran Sabana führen ein außerordentlich transparentes Wasser, trotz dessen charakteristischer hellbis dunkelbrauner Färbung. Diese Farbgebung hat ihnen die Bezeichnung «Schwarzwasser»-Flüsse eingebracht, im Gegensatz zu den mit Sedimenten beladenen «Weißwasser»-oder «Klarwasser»-Flüssen. Schwarzwasser-Flüsse sind durch einen sehr hohen Säuregehalt und durch Nährstoff-und Elekrolytarmut gekennzeichnet und beherbergen im allgemeinen wenig tierisches und pflanzliches Leben. Die dunkle Farbe hat auf gewisse Weise mit hohen Konzentrationen an verschiedenen organischen Säuren (besonders Gerbsäuren), zu tun, die aus dem Zerfall bestimmter Pflanzen entstehen, welche auf sehr quarzhaltigen Böden wachsen. Aber dieses Phänomen, daß in tropischen und sogar subtropischen Regionen der Erde häufig beobachtet wird, ist bis heute noch nicht vollständig erklärbar. Der Caroní-Fluß, der sich, besonders in seinem oberen Teil, in der Hauptsache

aus Schwarzwasser-Zuflüssen nährt, ist einer der längsten Schwarzwasser-Flüsse Venezuelas. In der Nähe seiner Einmündung in den Orinoko hat man ihn vor einigen Jahren zum Zweck der Stromgewinnung aufgestaut, so daß er dort einen großen künstlichen See bildet (Guri-See). Da aber die Gran Sabana das hauptsächliche Quellgebiet des Caroní-Flusses ist, müssen landschaftliche Eingriffe in diesem Gebiet mit besonderer Sorgfalt vorgenommen werden, um etwaige Störungen oder Qualitätsverschlechterungen der Wasserzufuhr des Guri-Sees zu vermeiden, welche die Elektrizitätsgewinnung beeinträchtigen würden.

Pflanzen und Tiere der Gran Sabana

Es ist allgemein bekannt, daß die amerikanischen Tropen eine Vielzahl von verschiedenen Pflanzen-und Tierarten, in allen Regionen und Lebensräumen, beherbergen. Die Region der Guayana bildet da keine Ausnahme. Im ganzen gesehen kann man sogar sagen, daß sie eine der reichhaltigsten und mannigfaltigsten biologischen Einheiten bildet, die das nördliche Südamerika aufzubieten hat.

Generell gesprochen ist die Guayana ein in der Hauptsache von Wäldern bedecktes Gebiet, in welches nicht allzu viele unbewaldete Flächen wie kleine, mehr oder weniger zersplitterte Inseln eingestreut sind. Eine der größten dieser waldfreien Regionen ist die Gran Sabana und es ist zweifellos interessant, eine Antwort auf die Frage zu suchen, warum es dieses offene Gebiet dort überhaupt gibt und welche Arten von Pflanzen man dort antreffen kann. Wie wir bereits erwähnten, ist ein Großteil der Fläche der Gran Sabana von äußerst unfruchtbaren Böden bedeckt und das mag eine zumindest teilweise Erklärung dafür abgeben, daß wir dort in der Hauptsache niedrige, krautartige Gewächse vorfinden, die weit weniger anspruchsvoll als Waldbäume sind. Das dominierende landschaftliche Element der Gran Sabana ist zweifellos das offene Grasland, in der spanischen Landessprache «Sabana» genannt. In diesem Vegetationstyp bildet eine mehr oder weniger durchgehende Grasdecke, vermischt mit grasartigen Kräutern (zum Beispiel Riedgräser), die Hauptkomponente. Es kommen auch niedrige Sträucher und andere holzartige Pflanzen vor, aber diese erreichen niemals die Häufigkeit der krautartigen Pflanzen. Es gibt viele verschiedene Arten von Savannen, nicht nur in der Guayana, sondern auch in den anderen amerikanischen und afrikanischen Tropen, aber alle weisen sie eine mehr oder weniger dichte

Grasdecke oder einen grasähnlichen Bewuchs auf.

Wenn man durch die Gran Sabana fährt, stellt man fest, daß es zwei verschiedene Savannentypen gibt: der erste, der im Nordabschnitt dominiert, besteht aus relativ niedrigem und offenem Grasland, in dem fast keine Bäume vorkommen, und das auf einem rötlichen Boden wächst, der oft von einer Schicht von Kieseln und kleinen Steinen bedeckt ist. Dieses Grasland ist ausgesprochen arm an Arten — man findet nur Gräser und Riedgräser — und läßt deutlich die durch den nährstoffarmen Boden bedingten Beschränkungen erkennen. Der zweite Savannentyp ist hauptsächlich in den südlichen, niedrigeren Gegenden der Gran Sabana beheimatet und ist durch eine äußerst zahlreich vorkommende, in Hainen wachsende, schöne Palmenart geprägt, die sogenannte «Moriche»-Palme. Die Grasschicht ist hier sehr dicht und erreicht deutlich größere Höhen als im Norden. Sie besteht aus einer reichhaltigen Mischung von Pflanzenarten, die zu den verschiedensten Familien zählen. Die zahlreichen Gras- und Riedgrasarten, die in diesen Palmenwäldern —auf spanisch «Morichales» genannt— dominieren, sind völlig verschieden von den im ersten Savannentyp vorkommenden Arten. Dies ist in erster Linie auf viel fruchtbarere Bodeneigenschaften zurückzuführen, da die Morichales fast immer in überfluteten oder zumindest wassergesättigten Talsohlen stehen, wo sie durch Überschwemmungen der nahen Flüsse eine reichliche Zufuhr von Nährstoffen erhalten. Der Boden ist normalerweise tiefbraun, was auf einen hohen Anteil organischer Stoffe hinweist, welche ihrerseits wieder auf den Nährstoffkreislauf dieses Ökosystems einen günstigen Einfluß ausüben. Auf der Landstraße nach Santa Elena, südlich von San Ignacio de Yuruaní im Tal des Kukenán-Flusses, findet man sehr schöne Beispiele für solche typischen Palmenhaine, in denen die Moriche-Palmen, meist in größeren Kolonien stehend, schlank und doch nicht allzu hoch aufragen, wobei ihre fächerförmigen Blätter und riesigen Blütenstände, die von den Blattansätzen herabhängen, auffallen. Ihre dicken, schuppigen Früchte sind ein begehrtes Nahrungsmittel für die oft zahlreichen Scharen von «Guacamayas», eine bunt gefiederte Papageienart, die diese Palmen häufig und unter großem Gekreische aufsuchen. Die Moriche-Palmen sind bisher noch nie in Gebieten über 950 Metern gesichtet worden, was heißen könnte, daß sie dort in der Gran Sabana ihre obere «Baumgrenze» erreichen.

Ein anderes auffallendes Merkmal der dichten Grasfluren der tiefer gelegenen Abschnitte der Gran Sabana sind die Termitenhügel, die besonders häufig entlang mancher Flüsse, zum Beispiel am Unterlauf des Yuruaní-Flusses, anzutreffen sind. Die meisten, wenn nicht alle dieser Termitenhügel scheinen leerzustehen, was ein bis heute nicht überzeugend beantwortetes Phänomen darstellt, eines der vielen Rätsel der Guayana.

Außer den zwei eben behandelten Savannenarten mit überwiegend Grasbewuchs, finden wir eine andere Art von Krautvegetation in der Gran Sabana, in welcher die dominierende Pflanzenart keine Gräser sind, sondern andere, seltsame und exotische Gewächse. Solche Wiesen, die ausschließlich in wasserreichen Schwarztorfgebieten der höheren Gran Sabana vorkommen (zum Beispiel rund um das Dorf San Rafael de Kamoirán), stellen einen Vegetationstyp dar, der nur auf dem Guayana-Schild anzutreffen ist und deshalb endemisch genannt wird. Die dort am häufigsten zu sehenden Pflanzen sind Kräuter mit breiten, lederigen Blättern, die fächerartig auf einem kurzen fleischigen «Stamm» angeordnet sind; zwischen diesen Blättern ragen lange, einen bis eineinhalb Meter hohe Stengel empor, an deren Spitze hübsche, abgeflachte oder kugelförmige Blütenstände mit prachtvollen gelben Blüten sitzen. Diese Pflanzen mit dem botanischen Namen Stegolepis gehören zu den Rapateaceae, einer besonders charakteristischen Pflanzenfamilie der Guayana, wo sie eine große Vielfalt von Gattungen und Arten aufweist, die auf fast allen Tepui-Gipfeln anzutreffen sind, vom Roraima im Osten bis zur Sierra Neblina im äußersten Süden des venezolanischen Bundesstaates Territorio Amazonas. Zwei Arten Stegolepis kommen in den Wiesen der Gran Sabana sehr häufig vor und bieten während ihrer Blütezeit (April bis Juli) einen herrlichen Anblick, mit ihren unzähligen, leuchtend gelben Blüten. Außerdem finden wir gewöhnlich noch andere seltene Kräuter in diesen Wiesen: manche haben schöne Rosetten, die aus breiten, graugrünen Blättern gebildet werden, welche von hochgestielten Blütenständen überragt werden, mit jeweils einer Gruppe von fleischigen, gelblichen Blüten bestückt, wie zum Beispiel die Orectanthe, ein Mitglied der Familie der Xyridaceae; andere haben seltsame röhrenförmige Blätter entwickelt, die bis zu einem halben Meter hoch werden und aus deren Mitte zarte grünlich-weißliche Blütenstände hervorragen, wie es bei den terrestrischen Bromelien der endemischen Gattung Brocchinia der Fall ist.

4

Jedoch die vielleicht merkwürdigste Pflanze jener Sumpfwiesen ist wohl ein eigentümliches Gewächs bestehend aus einer unregelmäßig geformten, zehn bis zwanzig Zentimeter hohen Blattröhre, mit einer behaarten Innenfläche und einer kleinen, meist leuchtend rot gefärbten Haube an der Spitze; vom Fuß der Röhre steigt ein schlanker Blütenstand seitlich empor, der bis zu dreißig Zentimetern hoch wird und zwei bis drei weiße, sternförmige Blüten trägt. Diese Pflanze wird von den Botanikern Heliamphora genannt, was ungefähr «Sonnenvase» bedeutet; ihre Besonderheit hingegen liegt darin, daß es sich dabei um eine insektenfressende Pflanze handelt, deren Röhre als tödliche Falle funktioniert und mit einer Flüssigkeit gefüllt ist, welche Verdauungsenzyme enthält und imstande ist, in sie gefallene Insekten zu zersetzen. Die abwärts gerichteten Haare, zusammen mit der wachsartigen, schlüpfrigen inneren Auskleidung der Röhre, machen es dem unglücklichen Insekt unmöglich, die Wand hochzuklettern um zu entkommen. Allerdings wurde die fleischfressende Eigenschaft dieser Pflanze noch nicht eindeutig nachgewiesen. Aber es ist interessant anzumerken, daß diese Gattung, in der Vegetation der Tepui-Hochebenen mit verschiedenen Arten vertreten, ihre nächsten Verwandten in den besser bekannten Gattungen Sarracenia und Darlingtonia hat, die wirkliche insektenfressende Pflanzen sind und im Osten und Westen der Vereinigten Staaten beheimatet sind.

Die Tierwelt ist in den offenen Ebenen der Gran Sabana sehr spärlich vertreten. Genau genommen gibt es sehr wenige Tierarten, die ausschließlich in den offenen Grasfluren leben, wie zum Beispiel einige Arten von Fröschen, kleinen Eidechsen, Schlangen und einigen Vogelarten. Als Ursache hierfür wird normalerweise das knappe Nährstoffangebot der Savannen-Ökosysteme auf Sandstein angesehen. Ein weiterer Grund mag darin liegen, daß große Teile dieser Savannen jüngeren Ursprungs sind und deshalb vielleicht noch nicht von weiter differenzierten und zahlreicheren Populationen «erobert» worden sind. Diese Hypothese bedarf jedoch noch einer genaueren Bestätigung durch detaillierte Studien über die natürliche Belastbarkeit und die langfristige Dynamik der verschiedenen Savannen-Ökosysteme der Gran Sabana.

Eines der häufigsten (und leider auch lästigsten) Tiere des offenen Graslands der Gran Sabana ist zweifellos ein kleines Insekt, das von den Eingeborenen «Puri-puri» genannt wird. Es gehört zu den Stechfliegen (Simulidae) und trotz seiner winzigen Dimensionen ruft es nach einem Biß oft sehr unangenehmen Juckreiz auf der Haut hervor. Besucher der Gran Sabana, die vorhaben, ausgedehnte Wanderungen zu unternehmen, sollten sich deshalb nicht ohne ein Anti-Insektenmittel auf die Reise machen. Die wenigen größeren Tiere, die in der Gran Sabana anzutreffen sind, wie der große Ameisenbär, der amerikanische Hirsch, das Gürteltier oder einige Vogelarten, leben für gewöhnlich am Waldrand und begeben sich nur zur Futtersuche in die gefährliche Offenheit der Savanne. Daher ist es sehr schwierig, diese Tiere am Tage zu beobachten, wenn sie sich im Gestrüpp von Waldstreifen entlang der Wasserläufe oder in den Wäldern selbst versteckt halten.

Die Region der Gran Sabana kennt viele verschiedene Waldtypen, die gemäß der topographischen Situation und den Bodenbedingungen variieren. In allen Fällen handelt es sich um immergrüne Wälder, das heißt, sie verlieren ihre Blätter während der Trockenzeit nicht. Manche Waldtypen sind höher als andere und ihre Zusammensetzung weist einen bemerkenswert hohen Grad an Variabilität auf, auch in relativ eng umgrenzten Gebieten. Normalerweise sind die Naturwälder, deren Bäume Höhen von bis zu 20 bis 30 Metern aufweisen, aus zwei bis drei verschiedenen Schichten aufgebaut. Die Bäume haben dichte, schirmförmige Kronen und relativ gerade, aber nicht übermäßig dicke Stämme. Das Unterholz ist oft ziemlich offen und setzt sich aus niedrigen Büschen und Palmen und Hochkräutern zusammen. Lianen und Epiphyten kommen nicht allzu oft vor. An den höhergelegenen Hängen der Tepuis finden wir einen anderen, etwas niedrigeren Waldtyp vor, den Gebirgs-Mooswald. In diesem sind alle Stämme und Äste der Bäume fast vollständig mit Moosen, Flechten und anderen Epiphyten, wie zum Beispiel Farnen, Orchideen und Bromelien, überwachsen. Die hohe Zahl von Epiphyten hängt direkt mit der großen Häufigkeit und Intensität der Nebelbildung, die für diese Höhen charakteristisch ist, zusammen. Am Fuß der Felswände der Tafelberge, wo viele herabgestürzte Felsbrocken für ein ziemlich chaotisches Landschaftsbild sorgen, gehen die niedrigen Bergwälder graduell in ein meist äußerst dichtes Dickicht über, welches einen noch stärkeren Bewuchs an Epiphyten, bestehend aus schlüpfrigen Moosen und Flechten, aufweist, die hier jedoch nicht nur die Bäume, sondern auch die Felsen überziehen. So ist es oft sehr schwierig und manchmal auch gefähr

lich, diese Formationen zu überqueren. Während das Vorkommen solcher immerfeuchten, moosbedeckten Dickichte nur auf die höheren, beinahe unzugänglichen Bergregionen begrenzt ist, trifft man in den tieferen Ebenen der Gran Sabana auf andere Arten von Buschformationen, von denen einige sehr gut von der Landstraße nach Santa Elena aus zu sehen sind. Die Mehrheit dieser Buschformationen wächst direkt auf offenen Felsschichten des Sandsteins und ist aus Pflanzen gebildet, welche augenscheinlich einen sehr hohen Grad an Anpassung an solche extreme Standortbedingungen erreicht haben. Einige der häufigeren Sträucher dieser Dickichte haben auffallend schöne, in leuchtenden Farben strahlende Blüten, wie zum Beispiel die großen weißen Blüten der Bonnetia, einer Gattung aus der Tee-Familie, oder die karmesinroten, gebündelten Blüten der Thibaudia, ein Spalierstrauch aus der Ericaceen-Familie, oder die prächtigen, sehr zarten, und wohlriechenden, cremeweißen Blüten der Vantanea minor, ein dichter, endemischer Strauch der Gran Sabana. Es ist bemerkenswert, daß diese an sich unscheinbaren, normalerweise nur zwei bis fünf Meter hohen Strauchformationen eine bedeutende Anzahl von endemischen und physiologisch spezialisierten Pflanzenarten beherbergen und somit eine der biologisch attraktivsten Vegetationsformationen des Guayana-Schildes darstellen. Ihr Vorkommen an mehr oder weniger isolierten Stellen der Gran Sabana und der angrenzenden Gebiete kann auch erklären, warum oft beträchtliche floristische Unterschiede zwischen den verschiedenen Standorten bestehen. Erst in jüngerer Zeit hat man jedoch damit begonnen, ausführliche Bestandsaufnahmen dieser Pflanzengemeinschaften zu erarbeiten, wobei die Existenz äußerst komplexer Zusammenhänge zwischen Arten und ihrer ökologischen Anpassung in einem Vegetationstyp aufgezeigt werden konnte, welcher auf den ersten Blick als einheitlich und wenig attraktiv erschien. Wenn wir nun unsere Aufmerksamkeit von der Pflanzenwelt der Gran Sabana selbst abwenden und auf jene der sie umgebenden Berggipfel richten, so werden wir unverzüglich eine große Unterschiedlichkeit der dortigen Vegetationstypen feststellen können. Naturforscher und Liebhaber von ungewöhnlichen Umgebungen werden einen Aufstieg auf den relativ leicht zugänglichen und deshalb auch oft besuchten Roraima als eine einmalige Erfahrung erleben, die sie reichlich für die erbrachten Anstrengungen belohnt. Die bizarren und oft phantastisch anmutenden Felsformationen

sind von zahlreichen kleinen «Vegetationsinseln» überzogen, die direkt auf der Felsoberfläche wachsen. Einige dieser «Inseln» messen nur wenige Zentimeter im Durchmesser, aber andere breiten sich in leichten Vertiefungen oder um kleine Tümpel herum aus und erlangen beträchtliche Ausdehnung.

Die meisten der Pflanzen, die auf den regnerischen und windumtosten Gipfeln der östlichen Tepuis (Roraima bis Ilú) zuhause sind, sind Kräuter und niedrige Büsche, die man einer besonderen Flora, der sogenannte «Pantepui»-Flora, zurechnet. Der Begriff «pantepui» beinhaltet die Gesamtheit der Flora und Fauna, die für die höheren Regionen der Guayana-Bergwelt charakteristisch ist und nur dort vorkommt. So wie man in allen Gebirgssystemen der Erde eine graduelle Veränderung der Pflanzenwelt wahrnimmt, je höher man an den Hängen emporsteigt, ist auch auf den Tafelbergen der Guayana, die Höhen bis zu 2.500 und 2.700 Meter erreichen, eine solche Zonierung klar erkennbar. Aber vielleicht aufgrund der eigentümlichen Form der Tafelberge, die keine kontinuierlichen Hänge aufweisen, oder wegen der seltsamen Lebensformen, welche die ersten Forscher dort vorfanden, wurden diese Gebirgs-Ökosysteme lange Zeit als Relikte aus alten, prähistorischen Zeiten angesehen, welche lebende Fossilien oder sogar «Dinosaurier» beherbergen sollten.

Nachdem nun in neuerer Zeit die Fauna und Flora vieler Tepui-Gipfel erforscht und genauer studiert worden sind, mußte diese romantische Sicht dessen, was man oft «verlorene Welt» nannte, aufgegeben und durch eine realistischere und wissenschaftlich fundierte Betrachtungsweise ersetzt werden. So ist es heute allgemein bekannt, daß das Pflanzen- und Tierleben der östlichen Tepuis einen zwar nicht so artenreichen, deswegen aber nicht weniger attraktiven Teilaspekt des viel weiteren Ökosystem-Komplexes der «Pantepui»-Zone darstelt. Tatsächlich sind von den etwa 2.000 bis 3.000 bisher bekannten Pflanzenarten der höheren Bergregionen der Guayana nur circa 300 auf diesen östlichen Tepuis gefunden worden. Es gibt noch keine ähnlichen Schätzungen über die Fauna, aber man darf mit großer Wahrscheinlichkeit annehmen, daß sie sich in vergleichbaren oder gar kleineren Größenordnungen bewegt.

Zu den auffallendsten Pflanzen auf dem Roraima, dem Yuraní-Tepui oder dem Ilú-Tepui gehören wiederum mehrere Arten von Stegolepis, mit ihren fächerartigen, fleischigen Blättern, oder die graugrünen Rosetten der Orectanthe, die wir beide schon unter den

Kräutern in den Sumpfwiesen der Gran Sabana gefunden haben. Augenscheinlich besetzen diese Pflanzen hier die für sie günstigsten Standorte, was man aus der großen Zahl ihrer Individuen schließen kann. Weitere wichtige Vegetationsbestandteile sind verschiedene Mitglieder der Familien der Xyridaceae, mit ihren winzigen gelben Blüten, der Eriocaulaceae, mit zarten weißen Köpfchenblüten, der Bromeliaceae, die oftmals sehr prachtvolle, purpurrote Blütenstände besitzen, der Liliaceae, der Cyperaceae, der Droseraceae und der Familie der Sarraceniaceae, deren eindrucksvolle Vertreterin Heliamphora wir auch schon erwähnt hatten. Einige dieser Pflanzen, wie zum Beispiel bestimmte Xyridaceae und Eriocaulaceae, bilden beinahe kugelförmige, dichte Polster, eine besonders auffällige Lebensform der hohen tropischen Gebirge (zum Beispiel in den «Páramos» der Anden): vielleicht handelt es sich dabei um eine biologische Anpassung an die harten mikroklimatischen Bedingungen (niedrige Temperaturen, starke Winde).

Niedrige Holzgewächse sind normalerweise auf Vertiefungen und andere geschützte Standorte beschränkt. Das Fehlen von größeren Gehölzen auf den Höhen der offenen Felsoberflächen ist offensichtlich darauf zurückzuführen, daß durch die schweren Regenfälle und die damit einhergehenden starken Winde sich keine feste Bodenschicht bilden kann. Die häufigsten baumartigen Gewächse sind knorrige kleine Bäumchen, mit entweder dichten, kegelförmigen Kronen, wie es bei der Bonnetia roraimae aus der Tee-Familie der Fall ist, oder flachen, ziemlich offenen Kronen, wie sie in typischer Weise bei manchen Arten von Schefflera aus der Familie des Efeus ausgebildet sind. Im allgemeinen haben diese kleinen Bäumchen einige wenige, dunkelgrüne oder gräuliche, starkledrige Blätter, außer im Falle von Bonnetia, welche ein sehr dichtes, rötliches Blattwerk aufweist, das aus vielen kleinen, nadelartigen Blättern gebildet wird. Ziemlich häufig sind ihre Äste und Stämme von bartartigen dunklen Flechten, Moosen oder hauchdünnen Hautfarnen bedeckt, was uns an das Bild der Mooswälder der höher gelegenen Berghänge erinnert. Weiter finden wir eine größere Anzahl von Sträuchern oder Kleinsträuchern, die entweder inmitten der offen wachsenden Inseln von Kraut-Vegetation oder, was häufiger vorkommt, im Unterholz der Niedrigwälder leben.

In der an sich spärlichen Vegetation dieser Tepui-Gipfel trifft man auffallende Blüten viel häufiger unter den Kräutern als bei den Gehöl-

zen an. Diese meist leuchtend gelben Blüten, wie zum Beispiel jene von Stegolepis oder Orectanthe, werden häufig von Bienen oder kleinen Kolibris auf ihrer Suche nach Nektar besucht. Aber außer solchen eher kleinen Vogelpopulationen, leben sonst sehr wenige Wirbeltier-Arten dauerhaft auf diesen unwirtlichen Berggipfeln. Ein besonders erwähnenswertes Beispiel ist jedoch eine kleine Kröte aus der endemischen Gattung Oreophrynella, welche sich langsam über die offenen Felsflächen bewegt und wegen der schwarzen Färbung ihres Rückens und ihrer Glieder kaum zu sehen ist. Diese seltsamen Tiere rollen sich, zum Zwecke der Verteidigung, zu einem unbeweglichen Ball zusammen, wenn sie sich gestört fühlen. Neueren Untersuchungen zufolge scheint es, daß sich, aufgrund ihrer genetischen Isolation auf den einzelnen Gipfeln der östlichen Tepuis, jeweils leicht unterschiedliche Formen dieser Kröten entwickelt haben. Lassen wir jetzt einmal die eher kleinflächigen Felsgipfel der östlichen Tepuis beiseite und richten unser Augenmerk auf die großen Tafelberge, wie zum Beispiel den Auyan-Tepui im Nordwesten der Gran Sabana, so werden wir zu unserer Überraschung dort eine überwältigende Vielzahl von Vegetationstypen vorfinden. Obwohl auf diesen riesigen Hochplateaus von 600 bis 700 Quadratkilometern sich viele typische Standorte des Roraima wiederholen, finden sich die interessantesten Aspekte ihrer Pflanzendecke doch in einer beträchtlichen Zahl von verschiedenen Wald- und Strauchformationen, die sich über ziemlich große Flächen erstrecken. Im besonderen Fall des Auyan-Tepuis, der eine ungefähr V-förmige Gestalt aufweist, die durch einen westlichen und einen östlichen Teil gebildet wird, sind die Unterschiede in der Vegetationsdecke klar ersichtlich, wenn man ihn von Ost nach West überquert (natürlich im Hubschrauber oder Flugzeug, denn zu Fuß wäre es ein unmögliches Unterfangen). In der Tat ist der östliche Teil, der durch eine beeindruckende Reihe von tiefen Felsspalten gekennzeichnet ist, die unzählige kleinere oder größere Felstürme voneinander trennen, den östlichen Tepuis, wie Roraima, Kukenán oder Ilú, in vielen Gesichtspunkten sehr ähnlich. Die Vegetation der meist nackten Felsoberfläche ist sehr spärlich und auf kleine Inseln beschränkt. In diesen dominieren viele typische Pantepui-Arten, oft dieselben, wie wir sie schon kennengelernt haben (Stegolepis, Orectanthe, Brochinia). In diesem östlichen Teil des Auyan-Tepuis gibt es nur einige wenige ausgedehnte Niedrigwälder. Diese wach-

sen in der Hauptsache auf leicht geneigten, flachen Plateaus, auf denen sich eine dicke, organische Bodenschicht bilden konnte — der notwendige Nährboden für Bäume, deren Wurzeln tiefer in die Erde reichen.

Der Westabschnitt des Auyan-Tepui weist dagegen ein ganz anderes Erscheinungsbild auf, in dem sich grüne Wiesen mit Wäldern verschiedener Größe und Art abwechseln. Dort finden wir auch Strauchbewuchs, sowohl auf blanken Felsen, als auch auf wasser-gesättigten Torfböden. Diese Vielfalt ist nicht nur auf die größere flächenmäßige Ausdehnung des westlichen Teils zurückzuführen, sondern auch und besonders auf größere Diabas-Einschübe in den vorherrschenden Sandstein. Da die Verwitterung des Diabas-Gesteins etwas nährstoffreichere Böden entstehen läßt, sind die auf ihm wachsenden Wälder dichter und floristisch variantenreicher. Diese niedrigen (fünf bis acht Meter hohen) Wälder sind häufig undurchdringlich, da große Kolonien einer terrestrischen Bromelienart (Brocchinia tatei), deren Blattrosetten bis zu eineinhalb Meter hoch werden, sich in ihnen breit machen und auch viele andere Sträucher und Riesenkräuter einen dichten Unterwuchs bilden. Die wichtigsten Bäume gehören verschiedenen Familien an, wie zum Beispiel den Theaceae (Tee-Familie), den Lauraceae (Lorbeer-Familie), den Aquifoliaceae (Stechpalmen-Familie), den Compositae (Korbblütler-Familie), den Araliaceae (Efeu-Familie), usw. Lianen gibt es praktisch keine, aber an manchen Stellen kommen sehr viele Epiphyten vor, besonders Moose, Flechten, Farne, Bromelien und Orchideen.

Auf dem westlichen Gipfel des Auyan-Tepuis ist auch das Buschwerk als wichtiger Vegetationstyp zu verzeichnen, welches verschiedene Gesellschaften bildet, die eine hohe Zahl von endemischen Arten und Lebensformen aufweisen. Verschiedene Straucharten haben prächtig weiße, rote oder gelbe Blüten und sind ein beliebter Zielpunkt der quirligen Kolibris. Diese Sträucher, die mit Vorliebe auf rauhen, felsigen Böden wachsen, sind manchmal so dicht, daß es unmöglich scheint, sie zu durchdringen.

Schließlich haben wir die häufigen, offenen Wiesen, die sich besonders gern in flachen Talsohlen ausbreiten und auf wassergetränkten Torfböden stehen. Sie setzen sich hauptsächlich aus fleischigen, breitblättrigen Kräutern, aus kleineren Rosetten-Pflanzen und einigen grasähnlichen Riedgräsern zusammen. Auch terrestrische Bromelien und Orchideen, die ihre prachtvollen Blüten oder seltsamen Blattanordnungen zur Schau stellen, sieht man dort häufig.

In einer dieser weiten Wiesen, auf einer Höhe von etwa 1.800 Metern, versuchte der berühmte Dschungel-Pilot Jimmy Angel im Jahre 1937 sein einmotoriges Flugzeug zu landen, in der trügerischen Überzeugung, dort größere Mengen an Gold zu finden. Aber es wurde eine Bruchlandung im nassen Torf, und Jimmy Angel und seine drei Begleiter, die auf wunderbare Weise unverletzt blieben, hatten, auf der Suche nach einem Weg zurück ins Tal, einen anstrengenden 10-Tage-Marsch durchzustehen. Dies war das erste und einzige Mal, daß jemand versuchte, auf dem Gipfel eines Tepuis mit dem Flugzeug zu landen und es war auch das einzige Mal, daß die Insassen ein solch halsbrecherisches Unternehmen gesund überlebten!

Bis heute wurden die Gipfel des Auyan-Tepuis und des südlicher gelegenen Chimantá-Massivs von vielen Expeditionen recht genau erforscht und man hat dabei erkannt, daß die wahren Schätze dieser Berge nicht in seltenen und kostbaren Mineralien bestehen, sondern in ihrem einzigartigen, biologischen Reichtum mit zahlreichen endemischen Pflanzen und Tierarten. So haben sich zwar nicht die Träume von Jimmy Angel und vielen Abenteurern, die seit der Zeit von Sir Walter Raleigh auf der Goldsuche waren, erfüllt, aber dafür ist man auf unerwartete und den Forschergeist anregende Rätsel der Natur gestoßen, deren vollständige Lösung wohl noch einige Zeit auf sich warten lassen wird.

Der Mensch und sein Einfluß auf die Gran Sabana

Die Früh-Geschichte des Menschen und seine Besiedlung des Guayana-Hochlands und speziell der Gran Sabana ist bis heute noch nicht ganz geklärt. Man nimmt an, daß die heutigen Eingeborenen, die dem karibischen Stamm der «Pemon» angehören, erst vor wenigen Jahrhunderten in die Gran Sabana einwanderten. Ihre Bevölkerung zählt heute ungefähr 12.000 Menschen, die in der Hauptsache im Becken am Oberlauf des Caroní-Flusses leben. Sie haben noch eine halbnomadische Lebensweise und betreiben Gartenbau auf Flächen, die sie durch Abholzen und Niederbrennen dem Urwald abringen (Brandrodung). In der Hauptsache kultivieren sie bitteren Maniok, Pfeffer, Bananen, Pisang, Ananas und einige andere Früchte und Gemüse. Sie lassen sich am liebsten in der offenen Savanne oder in der Nähe von Wasserläufen nieder, bauen einigermaßen stabile Holzhäu-

ser mit Dächern aus Palmblättern, von wo sie oft lange Fußmärsche bis zu ihren Gärten zu machen haben, welche in den angrenzenden Wäldern liegen. Außerdem sind die Pemon gute Jäger und Fischer und verbringen viel Zeit auf der Jagd nach Wild in ihren Wäldern. Ihre soziale Organisation ist ausgesprochen egalitär, sie leben in Familienverbänden ohne strenge hierarchische Ordnung und es gibt keine politischen Anführer, die über andere Clanmitglieder Macht ausüben könnten. Obwohl die Pemon, wie auch die meisten anderen Indianer-Stämme Südamerikas, unter dem Einluß der kulturellen.

Überflutung gelitten haben, die von christlichen, Missionaren Händlern (seit dem frühen achtzehnten Jahrhundert) und der modernen Zivilisation ausging, haben sie doch noch viel von ihrer ursprünglichen sozialen Organisation erhalten können.

Die Weißen haben erst in den letzten fünfzig Jahren begonnen, massiv in die Gran Sabana einzudringen, als an mehreren Stellen des Gebiets katholische Missionsstationen erbaut wurden und Venezolaner begannen, auf der Suche nach neuem Lebensraum dort Siedlungen zu errichten, wie zum Beispiel im Falle von Santa Elena de Uairén in den späten dreißiger Jahren. Aber die Hauptinvasion in die Gran Sabana findet erst seit den frühen siebziger Jahren statt, mit der Fertigstellung der Landstraße, die von der nördlichen Stadt El Dorado südwärts bis zur brasilianischen Grenze nahe bei Santa Elena führt. Diese Straße, die heute vollständig asphaltiert und deshalb von jeder Art von Fahrzeug befahrbar ist, bietet eine hervorragende Gelegenheit, die ausgesprochen schöne Landschaft mit ihren mächtigen Tafelbergen und Wasserfällen, Wäldern und Savannen zu besuchen. Sie zieht deshalb jedes Jahr eine größere Anzahl von einheimischen und ausländischen Besuchern an, wobei jedoch zu bedenken ist, daß diese zunehmenden Menschenmengen in einer Region mit hoffnungslos unterentwickelter Infrastruktur auch eine unvermeidlich steigende, negative Auswirkung auf die Landschaft mit sich bringen (besonders Umweltverschmutzung, Zerstörung von Biotopen, etc). Im Bewußtsein der biologischen und landschaftlichen Einmaligkeit der Gran Sabana und ihrer angrenzenden Gebirge hat die venezolanische Regierung dort 1962 den größten nationalen Naturpark geschaffen, den sogenannten «Canaima-National-Park». Er umfaßte ursprünglich eine Fläche von 1.000.000 Hektar, wurde aber dann im Jahre 1975 auf eine Gesamtfläche von 3.000.000 Hektar vergrößert

und nimmt somit fast die ganze Region der Gran Sabana ein. Dieser besondere gesetzliche Status erlaubt dort keine Art von Handel mit Mineralien, Pflanzen oder Tieren dieses Gebiets. Da die Fläche des Nationalparks außerdem mit dem mittleren und oberen Wassereinzugsgebiet des Caroní-Flusses zusammenfällt, der wiederum einer der größten Wasserlieferanten für das größte venezolanische Wasserkraftwerk am Guri-See ist, wird jede Tätigkeit, die das natürliche Gleichgewicht dieses Flußbeckens beeinträchtigen könnte, strengstens überwacht und nach Möglichkeit vermieden.

Gegenwärtig ist eine der ernstesten Gefahren für die Gran Sabana das häufige Auftreten von Buschfeuern. Diese Feuer werden hauptsächlich von der Indio-Bevölkerung ausgelöst, die traditionsgemäß und aus vielen verschiedenen Gründen in ihrer alten Praxis, die Grasdecke für ihre Zwecke der Jagd und des Landbaus niederzubrennen, fortfährt. Mit der anwachsenden Bevölkerungsdichte vermehrt sich jedoch auch die Zahl der Buschfeuer in schwindelerregender Weise: Jüngste Schätzungen gehen von mehreren tausend Bränden pro Jahr aus. Da die Flammen oft auch in die angrenzenden Wälder übergreifen, tragen sie langsam aber stetig zu einer nicht wieder gutzumachenden Verringerung des Forstbestandes bei. In manchen Gegenden kann man schon starke Auswirkungen eines Degenerierungsprozesses der Landschaft wahrnehmen (Wüstenbildung). Diese negativen Erscheinungen bewirken, daß die mit der Pflege des Nationalparks und der Bewahrung der natürlichen Ressourcen dieses Gebietes betrauten Behörden sich in zunehmendem Maße Gedanken über Mittel und Wege zur Erhaltung dieser einmaligen Region, die die Gran Sabana darstellt, machen müssen.

Einen weiteren, derzeit immer bedeutsameren Einfluß auf die Region, wenn auch nicht auf die Gran Sabana selbst, übt der in den letzten Jahren stark angewachsene ungeordnete Abbau von Gold und Diamanten aus. Die Randgebiete der Guayana-Platte, nicht nur in Venezuela, sondern auch in Guyana, Surinam und dem nördlichen Brasilien (Territorium Roraima, Bundesstaat Amazonas) enthalten reiche Vorkommen dieser kostbaren Mineralien und üben daher eine große Anziehungskraft auf Tausende von gierigen Goldgräbern aus, die sich hierdurch eine endgültige Lösung ihrer Lebensprobleme erhoffen. Sie werden dabei noch durch die Haltung einiger staatlicher Stellen bestärkt, die, ob sie es nun zugeben oder nicht, diesen Raubbau an Bodenschätzen und die daraus resultierenden Steuereinkommen als einen gangbaren Weg ansehen, die Deviseneinnahmen zu erhöhen, welche zur Zahlung der Auslandsschulden, die die meisten Länder dieser Region arg bedrängen, dringend benötigt werden.

Der Preis dafür ist jedoch ausgesprochen hoch: Außer den menschlichen, sozialen und sanitären Problemen, die durch diese völlig unkontrollierbaren Siedler in der ganzen Gegend verursacht werden, mit den unvermeidlichen Nebenwirkungen von Verbrechen, Prostitution und endemischen Krankheiten, ist die ökologische Auswirkung auf Wälder und Flüsse sehr bedeutend und wird sich vermutlich zu einem schweren Problem für zukünftige Generationen auswachsen. Das im Prozeß der Goldgewinnung exzessiv eingesetzte Quecksilber kontaminiert viele Wasserläufe auf Jahrhunderte hinaus, da es nicht auf natürliche Weise abgebaut wird. Man findet sogar schon hohe Konzentrationen dieses äußerst toxischen Elements in vielen Fischpopulationen, die der einheimischen und zugewanderten Bevölkerung als eines der Hauptnahrungsmittel dienen und daher schwere gesundheitliche Probleme verursachen.

Obwohl solche Goldgräber-Siedlungen meist von sehr kurzlebiger Natur sind, gehen sie oft mit der Gründung von kleinen Ortschaften zur Versorgung der Gold– und Diamantensucher einher. So werden ehemals unberührte Urwälder fast unbemerkt von einer wachsenden Zahl fremder Siedler durchdrungen, welche die ursprünglichen Einwohner ziemlich schnell entweder verdrängen, oder bestenfalls zu einer armseligen Lebensweise in marginalen Slums der jungen Siedlungen zwingen. Der sich daran anschließende Bau von Straßen und Start– und Landebahnen trägt zur weiteren Erschließung der Gegend bei und ermöglicht eine kontinuierliche Invasion von Rodungs– und Holzgewinnungsunternehmen und wilden Siedlern. So können auch Gegenden, die eigentlich von Rechts wegen geschützt sein sollten, innerhalb weniger Jahre schweren Schaden erleiden und unwiederbringlich ihren Schutzcharakter und ihre biologische Mannigfaltigkeit verlieren. Und das alles nur für die zeitliche Bereicherung einiger weniger Individuen! Diese ernste und bedrohliche Entwicklung ist heute bekanntlich in vielen Teilen der Tropen gegeben. Sie zu stoppen und möglicherweise umzukehren stellt eines

der wichtigsten Ziele der weltweiten Bewegung von um die Erhaltung der Arten und ihrer natürlichen Lebensräume besorgten Menschen dar. Leider bleibt die Guayana-Region, und mit ihr auch die Gran Sabana, von solchen düsteren Zukunftsvisionen nicht verschont und wir können nur hoffen, daß es noch nicht zu spät ist, einen vernünftigen Weg der Koexistenz zwischen den verschiedenen, einander entgegenstehenden menschlichen Aktivitäten zu finden, um dieses einzigartige Erbe der Natur zu retten und zu bewahren!

Zusammenfassend möchte ich feststellen, daß diese kurze Abhandlung, zusammen mit den folgenden Illustrationen, selbstverständlich nur einen sehr allgemeinen, gerafften Überblick über die Schätze der Gran Sabana und ihrer angrenzenden Gebirgszüge geben kann. Trotzdem hoffe ich sehr, daß der Leser sich ein Bild über den herausragenden biologischen Wert jener bisher wenig bekannten Gegend machen kann und daß er deshalb einen eventuellen Aufenthalt in dieser faszinierenden Landschaft mit einem tieferen Verständnis für die natürlichen Zusammenhänge erleben und genießen wird.

Übersetzung: Rainer Fingerl

Seite **48**

Die fast fünfhundert kilometer Landstraße, die quer über die Gran Sabana führen, bieten dem Reisenden fantastische Möglichkeiten, dieses riesige Gebiet kennenzulernen. Wenn man die dichten Wälder in der Nähe von El Dorado – die man wunderbar im Überblick betrachten kann, wenn man die Straße auf La Escalera hochfährt – hinter sich gelassen hat, sollte man sich die Zeit nehmen für eine Pause, um den Wasserfall El Danto zu besichtigen, der inmitten des tropischen Nebelwalds zu finden ist. Fährt man die Landstraße weiter, so eröffnet sich einem plötzlich, auf einer Höhe von circa 1.200 Metern, ein weiter Blick über die Gran Sabana. Es ist empfehlenswert, in Luepá von der Hauptstraße abzuzweigen in Richtung Kavanayén. Dort findet man eine Missionsstation, eingebettet in eine wunderschöne Landschaft, und als besondere Sehenswürdigkeit den hundert Meter hohen Wasserfall Apanwao. Entlang der ganzen Strecke von Luepá bis Kavanayén sieht man am Horizont die eindrucksvollen Tepuis.

Außerdem kommt man an herrlichen Plätzen vorbei, die einen geradezu einladen, dort sein Lager aufzuschlagen, wie zum Beispiel das Flußbett des Pacheco oder der Wasserfall Kama. Fährt man weiter, so gelangt man, ganz in der Nähe von San Ignacio de Yuruani, an das bezaubernde Flußbett des Jaspe (Jaspis), mit seinem roten Grund, seinen kristallklaren Wassern und der üppigen Vegetation, die es umgibt. Für mich ist das eine der schönsten Stellen, die ich in der Gran Sabana kennengelernt habe.

Seite **51**

In den Lagunen, die durch den Bau der Landstraße entstanden, findet man diese kleinen
Inseln von Süßgräsern (Gramineae).

Seiten **52** und **53**

In den dichten Nebelwäldern in dem Gebiet
La Escalera finden sich in großer Häufigkeit
Epiphyten, in der Hauptsache Aronstabgewächse (Araceae) und Bromelien. Im Bild
rechts sehen wir im unteren rechten Viertel
dieselbe Süßgräserinsel, die auf Seite 51
vergrösert dargestellt ist.

Seiten **54** und **55**

Wenn man sich durch ein langes Stück Urwald
zwischen El Dorado und La Escalera vorwärts-
gekämpft hat, wird man mit einem herrlichen
Blick auf die Weiten der Gran Sabana belohnt.

Seiten **56** und **57**

Dies ist eine Sicht der Gran Sabana, die etwas
von den ihr typischen Weiten erkennen läßt,
mit ihren Hainen von Morichepalmen, Savannen mit sanften Hügeln und ihren Baumgrup-
pen entlang der Flüsse.

Seiten **58** und **59**

Zwei häufig von Reisenden besuchte Attaktio-
nen der Gran Sabana sind der hundert Meter
hohe Wasserfall Apanwao und der Fluß Pacheco, mit seinen kalten Wassern.

Seiten **60** und **61**

Entlang des Flusses Yuruaní finden wir verschiedene Savannenarten: Links sehen wir
spärlich bewachsene Grasfluren mit Termiten-
hügeln, rechts dagegen überflutete Gebiete
mit Morichepalmen in einer Schwemmland-
ebene.

Seiten **62** und **63**

In den Flüßen der Gran Sabana finden sich
zahlreiche und eindrucksvolle Wasserfälle.
Oben der Wasserfall des Flusses Yuruaní, links
der Fall Kama, der ganz nah an der Landstraße seine Wasser achtzig Meter in die Tiefe
stürzen läßt.

Seiten **64** und **65**

Das berühmte Flußbett des Jaspe, südlich von
San Ignacio de Yuruaní gelegen. Es übt auf
Touristen eine große Anziehungskraft aus
durch das faszinierende Spiel des Lichts auf
seinen vielfarbigen Felsen und den kristallklaren Wassern.

Seite **66**

Der in Tausenden von Jahren geformte Halb-
edelstein Jaspis glänzt auch noch in trocke-
nem Zustand. Dichte und Härte dieses Steines
sind außerordentlich hoch.

Seite **67**

Die Felsen am Fuße eines Wasserfalls, die man
so nur während der Trockenzeit betrachten
kann, lassen den Verschleiß erkennen, der
durch den kontinuierlichen Aufprall des Was-
sers hervorgerufen wird.

Seiten **68** und **69**

Diese beiden Bilder wurden am Straßenrand
aufgenommen. Man sieht darauf kleine «Erd-
Tepuis», die durch die Erosion des sandigen
Materials entstanden sind, das sich unter einer
Schicht von Steinen und Quarzen befindet.

Seite **70**

In der ganzen Gran Sabana finden wir eine
Vielzahl von diesen farbenreichen Moosen
und Flechten.

Wonken und Kamarata

Seite **71**

Dieser Teil der Gran Sabana ist nur über Flugzeug zu erreichen. Mein erster Besuch in der im
Jahre 1957 gegründeten Missionsstation
Wonkén diente dem Zweck, einen Wasserfall
des Flusses Caruay zu sehen und zu fotogra-
phieren, welcher in einer Karte des Proyektes
«Naturpark Canaima» verzeichnet war. Dieser Wasserfall war zuvor nicht kartographisch
erfaßt gewesen und wohl auch noch von kei-
nem Fremden besucht und fotografiert worden. Meine Freunde Dirk Rowehl und Juan
Gambino und meine Wenigkeit paddelten
fünf Tage lang in unseren Einsitzerkajaks den
Fluß Caruay hinauf. Als wir den Wasserfall von
weitem erspähten, ließen wir unsere Boote am
Ufer stehen, denn der Fluß war unterhalb des
Wasserfalls durch Felsen und Stromschnellen
über weite Teile unpassierbar. Wir fanden kei-
nerlei Hinweise auf eine etwaige frühere An-
wesenheit von Menschen, nicht einmal einen
Pfad von Indios, dafür sahen wir uns umgeben
von herrlichen, in voller Blüte stehenden Orchideen. Es war eine unvergeßliche Erfahrung.
Wir fühlten uns als Pioniere, die als erste Menschen ihren Fuß in diese unberührte Natur
setzten und diesen Wasserfall zu Gesicht be-
kamen, inmitten dieser unglaublich üppigen
Vegetation.
Die Missionstation von Kamarata, die im Jahre 1954 gegründet worden war, befindet sich
inmitten einer der beeindruckendsten Landschaften Venezuelas. Im Westen haben wir
das gewaltige Massiv des Auyan-Tepuis, der
von all diesen Tafelbergen einer der größten
ist, im Osten stehen eine Reihe von Tepuis, die
man «Los Testigos» (Die Zeugen) nennt und im
Süden schließlich finden wir den Apada-Te-
pui. Auch diesen herrlichen Ort kann man mit
dem Flugzeug erreichen. In meiner ersten Reise kam ich aber nicht im Flugzeug, sondern ar-
beitete mich im Kajak fünf Tage lang von
Canaima den Carrao-Fluß hoch.
Ein empfehlenswerter Ausflug in der Nähe von
Kamarata ist ein Abstecher zu der Schlucht «La
Cueva» (Die Höhle), deren Name in die Irre
führt, da es sich um einen circa zwei Meter
breiten und dreißig Meter tiefen Cañon handelt, der von einem Fluß namens Kavac gegra-
ben wurde. Wenn man diesen Fluß der Länge
nach durchschwimmt, was schier unmöglich
klingt, aber in der Tat sich als problemlos er-
weist, gelangt man, am Ende dieses Cañons,
an einen Wasserfall, der in eine höhlenartige
Ausformung der Schlucht mündet. Seite 88-89.

Seite **75**

In Blickrichtung Süden schauen wir auf den Unterlauf des Karuay-Flusses. Im Vordergrund sehen wir die Felsen des Acopán-Tepuis, des Massivs des Chimantá, im Hintergrund den Angasima-Tepui.

Seiten **76** und **77**

Wir sehen unterschiedliche Savannenarten, die mit einer großen Verschiedenartigkeit der Landschaft einhergehen. Oben: Sehr spärlich bewachsene Savannen auf steinigen Hügeln. Rechts: Savannen, Morichepalmen und Wälder in der Ebene des Flusses Aponwuao.

Seiten **78** und **79**

Das ist eine der herrlichsten und gleichzeitig noch wenig bekannten Gegenden der Gran Savana: das Tal des Flusses Aruac, zwischen dem Acopán-Tepui und dem Upuigma-Tepui.

Saiten **80** und **81**

Ein Sonnenaufgang, vor dem Panorama des Upuigma-Tepui.
Rechts: Der Karuay-Fluß, im Hintergrund der Upuigma-Tepui und der Acopán-Tepui.

Seiten **82** und **83**

Ein Wasserfall des Karuay-Flusses von etwa vierzig Metern Höhe, der ungefähr auf halber Strecke zwischen Wonkén und Kavanayén liegt. Links sehen wir den Wasserfall El Humo, der sich an der Mündung des Karuay-Flusses in den Caroní-Fluß befindet.

Seite **84**

Auf den feuchten Steinen am Ufer eines Wasserfalls wächst dieses wunderschöne Exemplar einer <u>Chrysothemis gesneriaceae</u>.

Seite **85**

Diese Orchideengruppe der <u>Hexisea bidentata</u> hat in einer Baumkrone Wurzeln gefaßt und bietet einen von weitem zu sehenden Blickfang.

Seiten **86** und **87**

Im Jahre 1952 entdeckte ich diese Höhle, die nur wenige Meter von dem Wasserfall El Humo entfernt liegt. In ihr nisteten ganze Kolonien von «Guácharos» <u>Steatornis caripensis</u>. Die feuchten Wände der Höhle sind von zarten Farnen überzogen.

10

Seiten **88** und **89**

Ein spektakulärer Wasserfall, dessen Wasser dem Akenán zufließen.
Rechts: Dieser Cañón, der nirgends eine Breite von mehr als zwei Metern hat, wurde vom Wasser des Kavac-Flusses ausgewaschen. Wenn man ihn durchschwimmt, kommt man an seinem Ende an einen wunderschönen Wasserfall.

Seiten **90** und **91**

Als wir den Croní-Fluß stromaufwärts paddelten, kamen wir an die Einmündung des Tírica-Flusses. An dessen Verlauf trifft man auf einen der schönsten Wasserfälle (Techinek-merú) der ganzen Region (rechts).

Seiten **92** und **93**

Auf diesen beiden Seiten sehen wir den Wasserfall in seiner ganzen Ausdehnung.

Seite **94**

Inmitten der Stromschnellen wachsen ganz eigentümliche Pflanzen, wie zum Beispiel die Podostemonacea, die fest in den Felsen verwurzelt sind und deren Blüte nur in der Zeit des Niedrigwassers zu sehen ist.

Von Canaima zum Auyan-Tepui

Seite **95**

Im Jahre 1954 flog ich in einer Maschine der Línea Aeropostal Venezolana nach Uriman, ein kleines Bergbaunest am Ufer des Caroní-Flusses. Unter den ungläubigen Blicken der Einheimischen und der Bergleute zog ich die Teile meines Kajaks aus einer großen Tasche und baute ihn zusammen. Dann startete ich in meiner «Nußschale», den Caroní flußaufwärts, paddelte weiter in den Tírica, passierte Stromschnellen, mußte mich an einem siebzig Meter hohen Wasserfall vorbeiarbeiten und gelangte schließlich nach Aparurén, ein Ort südlich des Chimantá-Tepui.
Dort machte ich kehrt und schipperte den ganzen Caroní flußabwärts, bis zur Mündung des Carrao, von wo aus ich mich nach Canaima aufmachte. In dieser Zeit gab es noch keine kommerziellen Flüge in diesem Gebiet. Aber ich wußte, daß Charles Baugham, ein alter

Buschpilot, eine Aluminiummaschine besaß, die er für Charter-Flüge mit besonders wagemutigen Abenteurern benutzte. Zufällig war er an dem Tage meiner Ankunft auch zur Stelle und sah mich entsetzt an, da er dachte, ich wäre ein Tourist, den er auf einer seiner letzten Flüge vergessen hätte. Er war sichtlich erleichtert und beeindruckt, als ich ihm meine Geschichte von der Kajaktour erzählte.
Dieses Gebiet war in jenen Tagen noch überhaupt nicht erschlossen und präsentierte sich mir als ein Paradies auf Erden. Ich war mir sicher, das ich es noch viele Male aufsuchen würde.
Zwei Jahre später bot die Fluggesellschaft AVENSA bereits Charterflüge nach Canaima an. Auf meiner nächsten Reise lernte ich Rudi Truffino kennen, der heute unter dem Spitznamen «Dschungel-Rudi» eine lokale Berühmtheit geworden ist. Aus diesem ersten Treffen

wurde eine langjährige und enge Freundschaft. Auf dieser Reise paddelte ich in meinem Kajak fünf Tage lang flußaufwärts, bis ich zum berühmten Salto Angel (Angel-Fall) gelangte. Bis zu meiner Rückkehr nach Canaima war ich insgesamt einundzwanzig Tage unterwegs. Im ganzen haben mich meine Wege neunmal zu diesem herrlichen Wasserfall und seiner Umgebung geführt. Die längste Reise dauerte fünf Wochen. Für mich ist es immer wieder ein großartiges Erlebnis, diese Einsamkeit in völlig unberührter Natur genießen zu dürfen.
Mit der Unterstützung von EDELCA unternahm ich im Jahre 1985 meine erste Hubschrauber-Reise auf den Gipfel des Auyan-Tepuis. Dort blieb ich sechs Tage, was leider sehr wenig war, da man sich auf diesen zerklüfteten und ausgedehnten Höhen nur sehr langsam fortbewegen kann.

Seite **99**
In der Nähe der Einmündung des Carrao-Flusses fließen die Wasser des Caroni-Flusses äußerst ruhig, im Hintergrund der Hügel Curatapaca.

Seiten **100** und **101**
Am Fuße der Tepuis tragen Wasserläufe, Katarakte und Morichepalmen viel zu der Schönheit bei, die die Landschaft des Nationalparks Canaima berühmt gemacht haben.

Seiten **102** und **103**
Der Hacha-Wasserfall des Carrao-Flusses, vom Lager Canaima aus gesehen. Rechts sehen wir denselben Fall im Profil. Man gelangt auf einem schmalen Steig hinter diesen Wasserfall und genießt dort in unbeschreiblicher Weise das Naturschauspiel der Tonnen von Wasser, die unter ohrenbetäubendem Lärm in die Tiefe stürzen.

Seiten **104** und **105**
Der Kurún-Tepui erreicht eine Höhe von 1.350 Metern. Sein klassisches Profil dominiert die gesamte Region um Canaima.

Seiten **106** und **107**
Vom Carrao-Fluß, mit seinen schwarzen Wassern und den zahlreichen Morichepalmen an seinen Ufern, hat man einen herrlichen Blick auf den Kurún-Tepui und den Cerro Venamo. In den Sandsteinformationen, im Vordergrund rechts, wiederholen sich im kleinen die typischen Erosionsformen der Tepuis.

Seiten **108** und **109**
Die Wasserfälle von Canaima fangen als kleine Stromschnellen an, die rasch wilder werden und sich schließlich mit großem Getöse in die Lagune stürzen.
Rechts: Ein Blick auf den Wasserfall Akaima. Den Teil im Vordergrund kann man aus nächster Nähe betrachten, wenn man sich auf den schmalen Pfaden an seinen Ufern emporarbeitet.

Seiten **110** und **111**
Im Süden Canaimas finden sich in großer Häufigkeit grüne Savannen auf sanften Hügeln, die von Hainen der Morichepalme unterbrochen werden. Im Hintergrund erkennt man die Sierra Cararuban.
Rechts: Die steilen Nordhänge am Fuß des Auyan-Tepuis sind mit dichten Wäldern bewachsen.

Seiten **112** und **113**
Der Salto Angel, der seine Wasser über fast 1.000 Meter im freien Fall in die Tiefe stürzen läßt, beeindruckt uns außerdem durch die faszinierenden Felskonstellationen und Pflanzen seiner Umgebung.

Seiten **114** und **115**
Das Tal Churún, auch Cañón del Diablo (Teufelsschlucht) genannt. Dieser tiefe Einschnitt, der den Auyan-Tepui beinahe in zwei Teile trennt, ist einer der spektakulärsten Cañons der Erde.

Seiten **116** und **117**
Die Schönheit der Steilhänge der Teufelsschlucht wird durch zahlreiche Wasserfälle betont, von denen manche erst in der Zeit der starken Regenfälle entstehen.

Seite **118**
Steile Felsen des Auyan-Tepuis, über den dichten Wäldern des Ahonda-Tales. Im Hintergrund sieht man den Uei-Tepui und den Carrao-Fluß.

Seite **119**
In den Vertiefungen auf den Gipfeln des Auyan-Tepuis herrschen Boden- und Luftbedingungen, die ein niedriges, aber dichtes Buschwerk gedeihen lassen.

Seiten **120** und **121**
Die Felsen der Gipfel des Auyan-Tepuis bieten anschaulich einen Beweis für den stetigen Prozeß des Zerfalls.

Seiten **122** und **123**
Wenn man von Guayaraca auf den traditionellen Pfad emporsteigt, wandelt man vermutlich auf den Spuren von Jimmy Angel, dem Entdecker des Angel-Wasserfalls, und kommt an diesen Felsformationen vorbei, die sich nicht im stabilen Gleichgewicht befinden.

Seite **124**
Diese zweite Mauer bildet eine etwa 150 Meter hohe Stufe, die über das Plateau des Auyan-Tepui hinausragt.

Seite **125**
Die Bäume, die auf kleinen Plattformen der zweiten Mauer wachsen, erreichen eine Höhe von 15 bis 20 Metern.

Seiten **126** und **127**
Unsere Vorstellungskraft formt die Steinformationen des Auyan-Tepuis zu sagenhaften Felswesen und abstrakten Malereien um.

Seiten **128** und **129**
Im Sommer trocknen die Flüsse beinahe aus, aber ein einziger kräftiger Regenguß genügt, um sie in gefürchtete Wildwasserbäche zu verwandeln.
In den 700 Quadratkilometern der Hochebene des Auyan-Tepuis finden wir verschiedenste Landschaftsbilder und eine reiche und vielfältige Flora.

Seiten **130** und **131**
Dieser kleinen Kolonie der Vellozia tubiflora genügt der karge Fels zum Überleben.
Rechts: Kleine Gruppen der Bonnetia roraimae und Euterpe-Palmen.

Seite **132**
Organische Säuren geben den Quellwassern der Tepuis der Guyana ihre typische dunkle Färbung.

Seite **133**
Entlang der Bäche und Flüsse gedeiht eine interessante Vegetation von Kräutern und Büschen, viele davon kommen ausschließlich im Gebiet des Auyan-Tepuis vor.

Seite **134**
Die Erdflechten und Epiphyten bilden manchmal große Kolonien und sind damit ein bestimmender Faktor der Pflanzenwelt der Tepuis.

Seite **136**
Im Jahre 1973 bestieg ich zum ersten Mal, zusammen mit Toni Stuyk und meinem Kollegen Anton Oppenheimer, den Roraima. Es war eine Exkursion, zu der mein Freund Fernando Cangas uns bewogen hatte. Wir begingen allerdings den Fehler, am Fuß der Felswand unser Lager aufzuschlagen, was uns bei den unwirtlichen Wetterverhältnissen am Gipfel dazu zwang, am selben Tag wieder abzusteigen. So blieben uns kaum drei Stunden, um zu fotografieren und obendrein regnete es die meiste Zeit. Diese erste Expedition weckte in mir die Sehnsucht, eines Tages wiederzukehren und mehr Zeit und Ruhe mitzubringen. Aber erst elf Jahre später hatte ich Gelegenheit, eine neue Expedition zu organisieren, zusammen mit meinen Freuden Carlos Aché, Uwe Radtke und Carsten Todtmann. Wir sahen uns gezwungen, unsere Fahrzeuge in der Nähe der Indio-Siedlung des Peray-Tepuis stehenzulassen und marschierten elf Stunden lang durch die Gran Sabana, bis wir am Fuß der Felswand unser Lager aufschlugen. Dieses Mal wurde der Aufstieg zu einer beschwerlichen Sache, da wir außer unserer Fotoausrüstung auch noch Zelte und Proviant für drei Tage mitzuschleppen hatten.

Wir hatten das große Glück, daß der Roraima, dessen Gipfel meistens in Nebel gehüllt ist, am dritten Tage sich uns für einige Stunden wolkenlos präsentierte, was ganz besonders den Fotografen freute. Am diesem Tag mußten wir leider wieder absteigen, da der Proviant zur Neige ging und die klimatischen Verhältnisse auf dem Gipfel des Roraima doch sehr hart sind. Außerdem blieben uns noch die elf Stunden Fußmarsch zu unseren Fahrzeugen, die uns am Rückweg, durch die Anstrengungen der letzten Tage, um einiges länger vorkamen.

Seite **139**
Eine typische Landschaft der Gran Sabana, in der Nähe des Roraima.

Seiten **140** und **141**
Im Regenwald am Fuße des Roraima findet sich eine dichte Vegetation von Epiphyten. Die Undurchdringlichkeit und Feuchtigkeit des Dschungels macht den Aufstieg zu einem schwierigen Unterfangen.

Seite **142**
Hier sind zwei Extreme der pflanzlichen Evolution vereint: primitive Baumfarne im Zentrum und die «moderne» Palme Euterpe roraimae, links im Bild.

Seite **143**
Plötzlich endet der Nebelwald und wir stehen vor der senkrechten Wand des Roraima, die von verschiedensten Pflanzenarten bewachsen ist.

Seite **144**
Fast schon am Gipfel angelangt, werfen wir noch einen Blick auf das Tal. In den Felsspalten, vor direkter Windeinwirkung geschützt, gedeihen Zwergsträucher.

Seite **145**
Auf dem Gipfel stehen diese beiden «Königinnen» der Tepui-Welt: Oretanthe sceptrum, mit ihren gelben Blüten und Stegolepis guinanensis, weiter unten.

Seiten **146** und **147**
Die Nordwestflanke des Roraima, des höchsten der Tepuis der Gran Sabana, aufgenommen vom Anfang des letzten Teilstücks.

Seiten **148** und **149**
Wenn man den Gipfel erreicht hat, sieht man sich plötzlich einer völlig veränderten Landschaft gegenüber. Die langsamen Kräfte der Erosion haben im Lauf von Jahrmillionen diese Gesteinssculpturen geschaffen.

Seite **150**
Wind, Wasser und Flechten haben in Millionen von Jahren diesen Stein bearbeitet, bis er seine heutige eindrucksvolle Form erreicht hat.

Seite **151**
Die fast täglichen Regenfälle lassen auf dem Gipfel des Roraima eine Unzahl von kleinen Lagunen entstehen.

Seiten **152** und **153**
Es ist nicht einfach für die Pflanzen, auf dem felsigen Grund des Roraima Fuß zu fassen. Rechts: Einige pflanzliche Pioniere, in der Hauptsache Pernettya marginata.

Seite **154**
Eine Tillandsia turneri var. orientalis, eine Art Landbromelie, die auf den Höhen der östlichen Tepuis überlebt.

Seite **155**
Eine Cyrilla racemiflora, ein Strauch mit leuchtenden Blüten, der auf den Gipfeln der Tepuis sehr häufig vorkommt.

Seite **156**
Auf einem Quadratmeter hat ein ganzer Garten Platz gefunden! Es stechen die roten, klebrigen Blätter der fleischfressenden Drosera roraimae hervor.

The Gran Sabana

by Otto Huber
The captions and text
of the picture essays were
written by Karl Weidmann

Certainly, one of the most outstanding landscapes of Venezuela is its Guayana region, which extends south and east of the mighty Orinoco River and covers an area of approximately 414,750 square kilometers, corresponding to almost half of the total surface of the country. This yet very sparsely populated region is considered today as one of the richest in the American Tropics, not only because of its immense natural resources (for example iron, bauxite, gold, diamonds, hydroelectrical power, lumber), but also because of its extraordinary physiographic and biological diversity. Since the earliest explorations of the area during the XVI and XVII Century, the dream of the golden city of El Dorado captured the mind and all the energies of many, more or less unfortunate, adventurers; one of the most famous of them was undoubtedly Sir Walter Raleigh, who presented us a sensationally vivid account about his «Discovery of the Large, Rich and Beautiful Empire of Guyana», published in London in 1595.

At present, after four centuries of new explorations and innumerable expeditions of all sorts into the Guayana region, not only of Venezuela, but also of Guyana (formerly British Guiana), Suriname (formerly Dutch Guiana) and French Guiana, as well as to the northern frontier region of Brazil, and with the aid of remote sensing techniques, many of the larger mysteries have been solved. Thus, we now know that there is no great lake hidden in the darkest interior of the country, called Manoa or Lacus Parimae, from which all the large rivers of the region were supposed to flow and on whose shores the mythical city of El Dorado should be located; nor live there men without heads, or with a gigantic foot used as an umbrella. Today we have a rather clear idea of the main mountain ranges, valleys and rivers, of the principal vegetation cover, of the general geological features, and also of the people inhabiting this wide region, which no longer can be considered as a white spot on the maps. However, because of the bizarre shape of the numerous table mountains, with their vertical wall jutting up for several hundred meters from the tropical lowland forests, or because of the strange-colored rivers, or simply because of the overwhelming wilderness of the immense forests, the Guayana region still offers an impressive wealth of new and unexpected experiences even to the frequent visitor. From a more pragmatic point of view, it must also be added that, in spite of the enormous advances accomplished in the inventory and study of its natural resources, we still are far from understanding the many complex phenomena governing every aspect, physical and living, of that region.

In the southeastern most corner of the Venezuelan Guayana region, and encompassed by the upper Río Caroní, an affluent of the lower Orinoco river, there extends a large upland landscape called locally «Gran Sabana», which means literally «large grassland». In an area characterized mainly by dense, evergreen forests widely covering the lowlands, slopes and uplands up to the base of the cliffs of the surrounding mountains, it is certainly remarkable to suddenly encounter open, treeless grasslands extending to the horizon. Furthermore, since that region was virtually unaccesible until approximately 50 years ago, very little information existed on the nature of the Gran Sabana. Only from some missionaries sporadic tales, which reached the towns on the lower Orinoco or even the capital Caracas, was a vague idea of its existence and extension available.

In order to explore the agricultural and economic potential of these grasslands, the Venezuelan Government had organized a large expedition in 1939, in which several scientists participated including geologists, soil scientists and biologists. The result was a voluminous report containing interesting new and first-hand data on the geologic, edaphic, climatic, botanic, sanitary and ethnic conditions of that region (Aguerrevere et al., 1939). Previously, only the southernmost portion bordering the Brazilian/Guyanan frontier and centering around the huge mountain Roraima had been explored by the geographers and naturalists Richard and Robert Schomburgk (between 1838 and 1844), the explorer Everard im Thurn (1884 and 1894), the botanist Ernst Ule (1909/10) and the anthropologist Theodor Koch-Gruenberg (1911), as well as the zoologist G.H.H. Tate in (1927/28).

Since, from the results of the scientific expedition of 1939, it appeared evident that the soils of the Gran Sabana were not very suitable for traditional agricultural practices, and since the area was, furthermore, virtually unaccessible because of the lack of roads and navigable waterways, the region received very little official attention from the governments during the following 30 years. Although several important scientific expeditions to various mountains and areas of the Gran Sabana took place during that time, increasing considerably the botanical, zoological and geographical knowledge, it was only the beginning of the construction of a road crossing the savannas

from north to south in the early 60's, which raised again a wider interest in that extraordinary landscape and its potential resources.
Today that road, connecting the mining town of El Dorado in the northern piedmont with the village of Santa Elena de Uairén near the border with Brazil in the south, is entirely paved and offers to the rapidly increasing number of visitors a magnificent opportunity for wilderness experience in one of the most beautiful and stimulating sceneries of northern South America. At the same time, the establishment of a well-equipped tourist resort in Canaima, at the northwestern border of the Gran Sabana region, represents another attractive choice for a «close encounter» with the very nature of the ancient Guayana Shield.

<u>Some facts about the Gran Sabana and its environment</u>

What is usually called «Gran Sabana» are actually large upland plains located in the southeastern-most corner of the Venezuelan state of Bolívar, bordering Guyana to the east and Brazil to the south. These uplands, covering an area of roughly trapezoid shape with approximately 20.000 square kilometers, reach an average altitude of 1,400 meters in the north and then decrease gently to approximately 750 meters in the south. They are surrounded by various impressive mountain systems with a characteristic flat-topped topography, so-called table mountains or «tepuis», as named by the indigenous inhabitants. Thus, to the southeast one finds the chain of the eastern tepuis formed by the mountains Roraima, Kukenán, Yuruaní, Wadakapiapué, Karaurin and Ilú, the highest of them being Roraima, with 2,723 meters. To the north a lower mountain system, the Sierra de Lema, extends from east to west, overtopped in the eastern section by the almost entirely forested Cerro Venamo (approx. 1,600 meters), whereas at its western edge another most impressive chain of high tepuis formed by Ptari, Kamarkaiwarai, Terekeyurén, Murisipán and Aparamán, stretches into the sky reaching altitudes between 1,700 and 2,450 meters. Then, at the western border of the Gran Sabana, one of the largest mountain massifs of the Guayana Shield, the majestic Chimantá, extends over 700 square kilometers and attains altitudes ranging between 1,600 and 2,600 meters. Finally, the southern edge of the Gran Sabana is formed by the Pakaraima mountain range, which again shows an east-west orientation similar to the Sierra de Lema in the north, and like that does not attain higher altitudes than 1,500 meters.

The Gran Sabana, thus delimited, presents itself to the visitor with two principal landscape types: in the foreground a grass-covered, gently rolling, hilly country crossed by small creeks and rivulets bordered by narrow gallery forests, and in the background the most imposing silhouettes of massive, but at the same time gracile, towerlike mountains covered with dense forests at their steeply inclined basements. The geologic constitution of this region is rather complicated, but in a general way one can assert that the basemement of the Gran Sabana and of the adyacent mountains is made up of igneous metamorphic rock types (such as granites), atop which a cover of sedimentary rocks formed mainly of sandstones, was deposited some 800 to 1,600 million years ago. These sandstones, characteristic of the entire Guayana region, have usually a rose or whitish color, a high degrees of quartzitic components, and are called «Roraima sandstones» because they were first described from that mountain. Sandstones are typically formed by the superposition of innumerable, roughly horizontally layered, fine strata of cemented sand grains, which in some cases attain altogether more than 3,000 meters of total thickness. The differential erosion of these sandstone strata, accompanied by enormous tectonic movements of the various geologic cores during millions of years has produced the present landscape of isolated mountains. In addition, during more recent geologic epochs (for instance some 600 million years ago) mighty streams of igneous or volcanic rock flows have repeatedly intruded into the sandstone strata, breaking them up vertically and horizontally, thus creating the so-called «dikes» and «sills» of diabase intrusions, which eventually became exposed at the surface after the erosion of the overlaying sandstone cover.
Because of the mid-elevation of the Gran Sabana, the granitic basement of the Guayana Shield is not visible there, but only at its base to the north and the south; on the other hand, the main geologic features of the Gran Sabana are characterized by the sandstone and the diabase rock types, the former giving rise to the typical rectangular mountain shape and the latter to the smoothly rounded hill tops. According to the different parent rock, the soils originating from its weathering and decomposition are fundamentally distinct in their physical and chemical properties. Thus, the ancient sandstones, naturally poor in elements but extremely rich in quartzitic components, give rise to extremely nutrient poor,

sandy soils with low water retaining capacities. The diabase, on the other hand, liberates many more nutrient elements during the process of weathering and the resulting soils are, therefore, comparatively richer and physically more developed because of the presence of a notable clay fraction with higher water retaining capacity. The pattern of these different soil types in the Gran Sabana is responsible, in great part, for the various vegetation types and also for the low agricultural suitability of most of the area, since the nutrient poor sandy soils largely predominate over the somewhat richer clay soils.
The general climatic conditions of the Gran Sabana are relatively uniform, although certain local variations are clearly recognizable. The temperature regime is rather favourable, since, at an average altitude of 1,000 meters, the mean annual temperature is around 21°C, with maxima rarely exceeding 32-35°C and minima reaching as low as 12°C. Because of its location within the tropical zone, the thermic oscillations are pronounced during the day but rather uniform if one considers them at an annual base. This fact is also reflected in the reduced seasonality of the yearly climate, which is not determined by strong thermic changes, as in the temperate zones of the Earth, but rather by an alternating rainfall regime. Thus, during the months from December to March/April, the monthly rainfall is notably lower than during the remaining months of the year. In general, the average annual precipitation in the Gran Sabana uplands lies between 1,600 and 2,500 millimeters, being more pronounced in the northern, higher section. Also the intensity of the «dry season» (from December to March) presents local variations depending on topographic and macroclimatic factors.
At higher elevations, such as on the summits of the surrounding table mountains at approximately 2,500 meters, the climate is evidently much harsher, the average annual temperature being there around 12 to 10 °C and the annual average rainfall between 2,500 and 3,000 millimeters. Thus far, no records of freezing temperatures have been obtained on any of the tepui summits, not even on Roraima, the highest mountain of the region. Nevertheless, on some of the more exposed and wind-swept mountain tops short frost periods may be expected to occur occasionally.
The Gran Sabana and its adjacent eastern table mountains form the first larger topographic obstacle for the almost continuously blowing northeastern trade winds; thus,

the summits of the eastern tepuis (Roraima to Ilú) are very frequently embedded in dense cloud formations, which provide the upper slopes and tops with exceedingly high air moisture. Naturally, the cloud cover is markedly more pronounced during the rainy season, during which the northeastern trade winds are furthermore surpassed in intensity and frequency by strong air currents coming from the south.

The abundant rains falling in the Gran Sabana region are collected in a dense net of drainage systems ultimately converging into the Caroní river. From the summits of the tepuis, innumerable and sometimes spectacular waterfalls precipitate down the vertical walls into the abyss. The most famous of them is the «Angel Fall» located in the central portion of the Auyan-tepui massif. This fall, of almost 1,000 meters, is considered to be the highest waterfall on Earth; its base can be visited by a three-day river trip from Canaima on the lower Carrao river. Other waterfalls, located in the Gran Sabana region, are Torón-merú and Aponguao-merú, both on the upper course of the Aponguao river and accesible by road from Parupa; or the Kamá-merú on the Kamá river, which is crossed by the paved road to Santa Elena and therefore most easily accessible. All these waterfalls («merú» is the indigenous name for fall) with their impressive scenery demostrate eloquently the power of the erosional forces acting perpetually on the sandstone in spite of its extreme hardness.

Most of the creeks and rivers of the Gran Sabana carry extremely transparent waters with a characteristic light to dark brown color: they are called, therefore, blackwater rivers, in contrast to the sediment-loaded whitewater or clearwater rivers. Blackwater rivers are extremely acidic, extremely poor in nutrients and electrolytes and harbour usually much less animal and plant life. The dark color is somehow related to high concentrations of fulvic and other organic acids proceeding from the decomposition of certain plants characteristic of quartzitic substrates. But the phenomenon, widespread in tropical and even subtropical regions of the Earth, is still not well understood. The Caroní river, made up primarily of blackwater affluents, especially in its upper basin, is one of the largest blackwater rivers of Venezuela; near its mouth into the Orinoco river, it has been dammed to form a large lake (Guri lake) for the production of hydroelectric energy. Since the Gran Sabana region includes most of the headwaters of the Caroní river, particular care must be dedicated to the appropriate management of that area, in order to avoid interruptions or quality problems in the water supply to the Guri lake.

Plants and animals of the Gran Sabana

It is well known that the American Tropics harbour an overwhelming variety of plant and animal life in almost all regions and life zones. The Guayana region does certainly not escape from this situation; in the contrary, considered as a whole, it might well result to be one of the richest and most diverse biological entities in northern South America.

Generally speaking, Guayana is an eminently forested region, in which the non-forest surface is much more reduced in size and mostly interspersed amongst the extensive forest cover in the form of more or less fragmented «islands». Perhaps one of the largest such non-woody spots is the Gran Sabana, and therefore it seems natural to ask, why is there this open area and what kind of plants are growing there? We have already mentioned that most of the soils of the Gran Sabana are extremely poor in nutrients and this may explain, at least in part, the reason for the predominance of low herbaceous plants apparently less exigent than forest trees.

The dominant element in the landscape of the Gran Sabana is, without any doubt, the open grassland, locally called «sabana» (english savanna). In this vegetation type, a more or less continuous cover of grasses or grass-like herbs (for example sedges) and forbs constitutes the main component; low shrubs or other ligneous plants may be present, but these are never so abundant as to predominate over the herbaceous stratum. There exists many different kinds of savannas not only in the Guayana region, but also in the American and African Tropics, and they all have in common a more or less dense stratum of grasses or similar herbs.

Travelling through the Gran Sabana, one can easily recognize the existence of at least two distinct savanna types: the first, predominant in the northen section, consists of a relatively low and open grassland, almost entirely treeless, growing on a reddish soil often covered by a thick of pebbles and small stones. This grassland type is extremely poor in species, mainly small grasses and sedges, and reflects well the strong limitations imposed by the depauperate substrate. The second type of savanna is found preferably in the lower southern section of the Gran Sabana and is strikingly characterized by the high frequence of a beautiful gregarious palm, locally called «moriche» palm. The herbaceous layer is very dense, rather high, and consists of a rich assemblage of plant species belonging to a wide variety of families. The numerous species of grasses and sedges predominating in these communities called «morichales» are entirely different from the ones found in the previous savanna type. This is due in the first place to much more favourable soil conditions, since the morichales are usually associated with flooded or at least water-saturated soils of valley bottoms, where, furthermore, a much higher input of nutrients is provided from the nearby river. The soils are normally of a very dark brown color, indicating a high content of organic matter which in turn favours the nutrient cycling processes of these ecosystems. As can be observed nicely in the valley of the Kukenán river south of San Ignacio de Yuruaní on the road to Santa Elena, the moriche palms, growing preferably in large colonies, are slender, medium-sized trees with large fan-shaped leaves and huge inflorescences pendant from the leaf bases. Their bulky, scaly fruits are the main food supply for often quite numerous flocks of «guacamayas», the vividly colored parrots, which visit these palms frequently and with great noise. It appears that the moriche palms reach their upper altitudinal level here in the Gran Sabana, since they have not been observed to occur above approximately 950 meters of altitude.

Another peculiar feature of the dense grass savannas of the lower Gran Sabana region are the large colonies of termite mounds found along some rivers, as for example the lower Yuruaní river. Most, if not all of these mounds seem to be abandoned and thus far no convincing explanation has been found for this phenomenon, one of the many mysteries of life in the Guayana.

Besides the two mentioned savanna types, formed primarily of grasses and sedges, another type of herbaceous vegetation is found locally in the Gran Sabana, in which the predominant herbs are not grasses but other, quite strange and exotic plants. These meadows, growing exclusively on water-saturated black peats in the upper levels of the Gran Sabana (for instance around the village of San Rafael de Kamoirán), represent a kind of vegetation found only within the Guayana Shield area and are thus called «endemic». In fact, the dominant plants there are herbs with broad, coriaceous leaf blades, inserted distichally (fan-like) on a short fleshy stem; amongst these leaves, large peduncles, up to 1-1.5 meters high, emerge, bearing on their upper extreme gracious flattened or globose flower heads with showy yellow flowers. These plants, called Stegolepis, belong to one of the most characteristic families of the Guayana, the Rapateaceae, which show a tremendous differentiation of genera and species on almost all tepui summits, from the Roraima in the east down to the Sierra Neblina in the extreme south of the Venezuelan Amazonas Territory. Two species of Stegolepis occur abundantly in the Gran Sabana meadows and during the flowering season (April to July) they offer a spectacular view with their innumerable bright yellow flowers. In addition, other unusual herbs are commonly found in these meadows: some have beautiful rosettes formed of broad, glaucous leaves surmounted by stalked inflorescences with a group of waxy, yellowish flowers, as in the case of Orectanthe, a member of the Xyridaceae; others have developed strange tubular leaves up to half a meter tall, from the center of which a delicate greenish-whitish inflorescence emerges, as in the case of the terrestrial bromeliads of the endemic genus Brocchinia.

But perhaps one of the strangest plants of these meadows is a curious creation consisting of an irregular shaped reddish tube 10 to 20 centimeters high, with a hairy inner surface and a small, usually brightly red colored hood on top; from the base of the tube a slender peduncle ascends laterally up to 30-50 centimeters, bearing one or three white, star-like flowers. This plant, called Heliamphora, which more or less means «vase of the sun», is considered to be insectivorous, the tube acting as a deadly trap filled with liquid containing digestive enzymes capable of decomposing insects fallen into it; the downward directed hairs, together with a waxy, slippery coat of the inner walls of the tube hinder the unfortunate insects from crawling up to the top and back to liberty. The carnivorous habit of these plants, however, has not yet been cleary demonstrated; but it is interesting to note that this genus, particularly well represented in the vegetation of the tepui summits, has its closest relatives in the well known Sarracenia and Darlingtonia «pitcher plants», which are true insectivorous plants growing in the eastern and western United States.

The animal life of the open landscape of the Gran Sabana is extremely scanty. Strictly speaking, there are very few animals living exclusively in the open savannas, such as a few species of frogs, small lizards, snakes, and birds. This notable scarcity is considered to be a consequence of the low levels of nutrients available in the herbaceous ecosystems growing on sandstone-derived soils. Another reason might be that large tracts of these grass savannas are of recent origin and that they, therefore, represent habitats not yet «conquered» by more differentiated and abundant animal populations. This hypothesis, however, still has to be corroborated by more detailed studies on the natural carrying capacity and long-term dynamics of the herbaceous ecosystems of the Gran Sabana region. Undoubtedly, by far the most common (and also nastiest!) animal found in the open countryside of the Gran Sabana is a little insect called locally «puri-puri»; it belongs to the sandflies (Simulidae) and in spite of its tiny size, its bites on the skin produce sometimes rather painful itchings. Visitors planning to undertake walking trips in the savannas are therefore advised to carry an insect repellent in their backpack. On the other hand, the few larger animal species living in the Gran Sabana, such as the giant anteater, the deer, the armadillo, or some bird species, are typical «commuters» living usually in the forest border, from where they visit the open savanna only in search of food. It is, thus, quite difficult to observe these animals during the daytime, when they are usually hidden in some woods of the gallery forests or in the forest itself.

Many different forest types exist in the Gran Sabana region, varying according to the topographical position and the soil conditions. All forests are evergreen, which means that their trees do not loose the foliage during the dry season, but some forest types are taller than others and also the floristic composition shows a considerable degree of variability even over small areas. Usually, the undisturbed forests, reaching up to 25-30 meters, are made up of two or three tree layers; the trees have dense, rounded to umbrella-shaped crowns, and relatively straight but not particularly thick boles. The understorey is often rather open, formed of low shrubs and palms and large herbs; lianas and epiphytes are not very common. Towards the upper slopes of the tepuis, other forests, the montane moss forests, predominate, in which the trunks and branches are abundantly covered by mosses, lichens and other epiphytes, such as ferns, orchids and bromeliads. Because of their bizarre, misty aspect these low forests are also called «elfin forests»; the high abundance of epiphytes is directly related with the high frequency and intensity of mists characteristic of this altitudinal level. At the base of the cliffs of the table-mountains, where the ac-

cumulation of numerous large blocks crashed down from the walls creates a rather chaotic landscape, with an even more pronounced cover of slippery mosses, overgrowing not only the trees but also the rocks, thus rendering it very difficult and sometimes dangerous to cross these formations.

Whilst such ever-wet, moss-covered thickets grow only at these upper, almost unaccessible montane levels in the lower lying plains of the Gran Sabana other kinds of scrub formations are present and easily visible along the road to Santa Elena. The majority of these scrubs grows atop rock (sandstone) outcrops, and their plants are evidently very well adapted to these sites with such extreme conditions. Some of the more common shrubs of these thickets show beautiful, brightly colored flowers such as the large white ones of Bonnetia, a member of the Tea family, or the crimson red fascicles of flowers of Thibaudia, an ericaceous sprawling shrub or the showy, very delicate and at the same time fragrant creamy white flowers of Vantanea minor, a dense and endemic shrub of the Gran Sabana. It is interesting to note that these shrub communities, usually only two to five meters tall, harbour a significant number of highly endemic and physiologically specialized plant species, thus representing one of the biologically most attractive vegetation types of the Guayana Shield. Their occurrence in more or less isolated patches in the Gran Sabana and adjacent lower areas also explains why the floristic composition varies considerably from one site to another. Only during recent times, however, have more detailed inventories of these plant communities been made giving evidence of this complex pattern of species and ecologic adaptations in a vegetation, which, at a first glance, appears to be rather uniform and unattractive.

Moving the attention now from the vegetation of the Gran Sabana to that of the summits of the surrounding table mountains one will immediately notice a totally different plant life there. Climbing up to the summit of Roraima, one of the most accessible (and thus most frequenty visited) mountain tops of the Guayana, provides a rewarding experience to the naturalist as well as to the lover of unusual environments. The bizarre and most fantastic rock formations are accompanied by numerous small «isles» of plants growing directly on the rock surface, some being only a few centimeters in diameter and height, but others extending quite considerably in flat depressions or around small pools.

Most of the plants growing on the rainy and

windswept summits of the eastern tepuis (Roraima to Ilú) are herbs and low shrubs belonging to a particular flora, the so-called «pantepui» flora. The term «pantepui» designates the totality of floral and faunal elements characteristic and exclusive of the upper montane life zones of all the Guayana mountains. Similarly as in any other mountain system of the Earth, where one can readily observe gradual changes of the life zones along a mountain slope in relation with the altitudinal belts, also in the Guayana Shield, with its table mountains reaching up to 2,500-2,700 meters, such a zonation is clearly recognizable. But perhaps because of the unusual shape of the mountains lacking continuous slopes and also because of the strange life forms found in the Guayana mountains by the first explorers, these high mountain ecosystems have long been considered as «relicts» of ancient, prehistoric times, harbouring living fossils or even «dinosaures».

Today, after the exploration and more accurate study of the flora and fauna of many tepuy summits, this romantic view of what was often called the «lost world», has been displaced by a more realistic and scientifically sound appreciation. Thus it is now well known that the plant and animal life of the eastern tepuis represents but an impoverished, though not less attractive, aspect of a much wider complex of ecosystems found in the pantepui life zone. As a matter of fact, of an estimated total number of 2,000 to 3,000 plant species known thus far from the upper Guayana mountains, not more than about 300 have been recorded on the summits of these eastern tepuis. There do not yet exist similar estimations referring to the animal life, but they can reasonably be assumed to be of similar or even lower proportions.

Amongst the most conspicuous plants of the summits of Roraima or Yuruaní-tepui or Ilútepui, one certainly recognizes again the fanshaped fleshy leaves of Stegolepis or the glaucous rosettes of Orectanthe, both already met with in the herbaceous meadows of the Gran Sabana. Evidently, these species occupy here their optimal habitat, as can be inferred from their extreme abundance in almost all spots of vegetation. Other important components are various members of the famillies Xyridaceae with tiny yellow flowers. Eriocaulaceae with delicate white flower heads. Bromeliaceae with often very showy purple red inflorescences. Liliaceae, Gyperacear, Droseraceae (the Sundew family), and of the Pitcher-plant family Sarraceniaceae with the spectacular genus

Heliamopora already mentioned. Some of these plants, as for instance certain Xyridaceae and Eriocaulaceae, form almost spherical, dense cushions a characteristic life form in high tropical mountains (for instance the páramos of the Andes), possibly developed in response to the harsh microclimatic conditions (low temperatures, strong winds). Low woody vegetation is usually restricted to crevices and other more protected habitats; apparently, the impossibility of accumulation of a more consistent soil stratum due to the heavy rains and accompanying strong winds atop the open rock surfaces, prevents the growth of taller woody plants there. The main arboreal elements are gnarled treelets with either very dense conical crowns, as exemplified by Bonnetia roraimae of the Tea family, or flat, quite open crowns, as seen typically in several species of Schefflera of the Devil's Club family. Generally, these treelets have only a few leaves of a dark green or gravish colour, but thick and very coriaceuous, except in the case of the Bonnetia, which exhibits a very dense, reddish foliage formed by small, almost needle-like leaflets. Quite often their stems and branches are abundantly covered by beard-like, dark lichens, mosses and filmy ferns, closely resembling the elfin moss forests of the upper talus slopes mentioned earlier. Furthermore, numerous other species of low shrubs and subshrubs grow either in the open herbaceous vegetation spots or, more abundantly, in the understorey of the low forests. In contrast to the savanna forest mosaic of the lower lying Gran Sabana, it is noticable that on the tepui summits showy flowers are found much more commonly amongst the herbs than in the woody plants; these mostly yellow flowers, as for example those of Stegolepis or Orectanthe, are frequently visited by bees or small hummingbirds in search of nectar. But besides a few reduced populations of birds, very few other larger animals live permanently on these inhospitable mountain tops. One remarkable example, however, is a small toad of the endemic pantepui genus Oreophrynella, which moves slowly on the open rocks, barely visible because of the completely black coloration of its back and legs. These curious animals, when disturbed, roll themselves into an immobile ball, which constitutes their main defense strategy. It seems that on each summit of the eastern tepuis slightly different forms of these toads have differentiated, due to the present genetic isolation of the various populations from each other.

Leaving behind now the small rocky summits

of the eastern tepuis, and directing the attention towards a large table mountain as, for example Auyan-tepui to the northwest of the Gran Sabana, one will be surprised to find there an overwhelming variety of vegetation types. Although on such huge mountain surfaces of up to 600-700 square kilometers of extension many sites very similar to the ones seen on Roraima are commonly found, the most interesting aspects of their plant cover are represented by the considerable number of different forest and scrub types covering quite extensive areas.

In the specific case of Auyan-tepui, which has a roughly U-shaped form composed by an eastern and a western branch, the differences in the vegetation cover are neatly visible by crossing it from east to west (by airplane or helicopter, of course, since by foot it would be almost impossible!). Indeed, the eastern branch, characterized by an impressive sequence of deep crevices separating innumerable small or large «rock towers», shares many aspects in common with the eastern tepuis Roraima, Kukenán or Ilú: the vegetation colonizing the mostly bare surface is reduced to similar small «islands», in which, furthermore, many typical pantepui plant species dominate, which are often the same ones seen before, such as various members of Stegolepis, Orectanthe or Brocchinia. Only in very few places of the eastern branch of the Auyan-tepui more extensive patches of low forests occur, mainly restricted to slightly inclined, flat plateaus, where a rather deep organic soil has been able to accumulate, assuring an appropriate substrate for deeper rooting trees.

The western branch, in contrast, shows a very different scenery, in which green meadows alternate with forests of different size and kinds, and with scrub growing either on bare rocks or on water logged peaty soils. This variety in the plant cover is not only due to the larger extension of that branch, but also and particularily to an enormous intrusion of diabase rocks in the predominating sandstones. Since the weathering of diabase rocks originates slightly more nutrient-rich soils than the sandstones, the forests growing there are denser and floristically more diversified. These low (5-8 meters tall) forests are often almost impenetrable because of the presence of large colonies of a terrestrial bromeliad, Brocchinia tatei, with huge leaf-rosettes up to 1,5 meters tall, and many other shrubs and giant herbs forming a dense understorey. The main trees belong to several families such as the The aceace (Tea family), the Lauraceae (Laurel family), the Aquifoliaceae (Holly family), the Compositae (Daisy family), the Araliaceae (Devil's Club family), etc. Lianas are virtually absent, but epiphytes are locally abundant, especially amongst the mosses, lichens, ferns, bromeliads, and orchids.

Another important vegetation type of the western summit of Auyan-tepui is represented by shrublands, which form various communities with a high number of endemic species and life forms. Several shrub species have showy white, red or yellow flowers visited frequently by hummingbirds. These scrubs, growing usually on rugged, rocky terrain, are sometimes so dense that it is almost impossible to penetrate or walk over longer distances in them.

Finally, the frequent open meadows, extending preferably in more or less flat valley bottoms and growing on water-saturated peats, are formed mainly by fleshy, large-leaved herbs, smaller rosette-plants and some grass-like sedges. Terrestrial bromeliads and orchids are common, often exhibiting very showy flowers or curious leaf arrangements.

In one of these larger meadows at approximately 1,800 meters, the famous jungle pilot Jimmy Angel tried to land his monomotor airplane in 1937, convinced to find there enormous quantities of gold; but the airplane crashed its nose into the swampy peat and Jimmy Angel and his three companions, who miraculously survived the impact uninjured, had a very hard time to find their way down from the mountain during an extenuating 10-day trip! This was the first and only intentional attempt of landing an airplane on top of a tepui and it was also the only one, where the passengers survived such a breakneck enterprise!

Up to the present, the summits of Auyan-tepui, as well as those of the southernly adjacent Chimantá massif, have been studied quite intensively by many scientific expeditions, resulting in the experience that the true treasures of these mountains do not consist of rare or precious minerals, but instead of their unique biological richness with numerous endemic plant and even animal species. Thus the dreams of Jimmy Angel and many other «gold-minded» adventurers dating back to the times of Sir Walter Raleigh, have found their confirmation in an unexpected but even more challenging way!

Man and his impact in the Gran Sabana

The early history of human occupancy of the Guayana highlands and specifically of the Gran Sabana is still hidden in mistery. It is assumed that the present indigenous population consisting of the carib group «Pemon» penetrated into the Gran Sabana region only a few centuries ago; today they number almost 12,000 people, distributed mainly in the upper Caroní river basin. They practice a semi-nomadic slash-and-burn horticulture, planting mainly bitter manioc, peppers, banana, plantain, pineapples and a few other vegetables. They settle preferably in the open savanna or near watercourses, constructing rather stable wooden houses with palm roofs, from where they walk often long distances to their gardens located in the adjacent forests. Furthermore, the Pemon are able hunters and fishermen and spend prolonged periods in the forests for game hunting. Their social organization is strikingly egalitarian, since they are mainly grouped into families without a rigid hierarchic scheme and there are no political leaders with personal power over the other members of the community. Although the Pemon have suffered, just as all other indigenous populations, from heavy cultural impacts originating from missionaries (catholic and evangelic), traders (since the early XVIII century) and modern civilization, they still have maintained remarkably well their original level of social organization.

White man has started to penetrate significantly into the Gran Sabana only during the last 50 years, when catholic missions were built in several places of that region and Venezuelan colonizers started to found larger settlements, such as the town of Santa Elena de Uairén in the late 30's. But the main process of invasion of the Gran Sabana began only after the conclusion, in the early 70's, of the road running from the northern piedmont at El Dorado southwards to the Brazilian frontier near Santa Elena. This road, now entirely paved and therefore practicable for any kind of vehicle, offers extremely beautiful scenery of imposing table mountains and waterfalls, forests and savannas, thus atracting each year an increasing number of local and foreign visitors. But this growing number of people in a region with still insufficient infrastructure also implies an equally growing impact on the landscape only in part unavoidable.

Conscious of the biological and scenic uniquenes of the Gran Sabana and its surrounding mountains, the Venezuelan Govern-

ment decreed there its largest National Park in 1962, called Parque Nacional «Canaima», with an area of 1,000,000 hectares . In 1975 it has been aumented to the present size of 3,000,000 hectares, including almost the entire Gran Sabana region. Because of this special legal status, any kind of trade with minerals, plants or animals found within the park is not allowed. Since the area of the national park coincides, furthermore, with the medium and upper drainage basin of the Caroní river, which in turn acts as one of the water suppliers for the largest Venezuelan hydroelectrical power plant at Guri, all forms of land utilization damaging the natural equilibrium of that river basin are strictly controlled and avoided.

At this moment, one of the most severe problems in the management of the natural conditions of the Gran Sabana is the high frequency of savanna fires. This phenomenon is caused mainly by the indigenous population, which traditionally and for many different reasons employs burning of the grass cover in their agricultural and hunting practices. Under an increasing population pressure, however, the frequency of fires also auments vertiginously: recent estimates account for several thousand fires each year in the Gran Sabana region! Since these fires many times also affect the adjacent forests, they contribute significantly to a steady and irreversible reduction of the forest cover of these uplands. In some areas heavy processes of landscape degeneration («savannization») can already be observed and these negative consequences are of increasing concern to the authorities responsible for the wise management of the natural resources of the Gran Sabana region.

Another major impact in the region, although not in the Gran Sabana itself, is represented by the heavy increase of mining activities, mainly for gold and diamonds, during recent years. The piedmont area of the Guayana Shield, not only in Venezuela, but also in Guyana, Suriname and northern Brazil (Territorio Federal Roraima and Estado Amazonas) contains rich deposits of these precious minerals and attracts thousands of avid miners hoping to find there the ultimate solution for their problems and living. Furthermore, they are stimulated by official institutions which, admittedly or not, consider the mining activity and the resulting tax income as a viable means for increasing the income of foreign currency, desperately needed for the payment of the external financial debts strongly affecting most countries of the area.

The price, however, is exceedingly high: besides the severe human, social and sanitary problems caused by such completely uncontrolled settlers all over the region, with the inevitable side effects of crime, prostitution and endemic diseases, the ecologic impact on the forests and rivers is also significant and tends to become a heavy burden for future generations. In fact, the excessive employment of mercury in the process of gold mining severely contaminates many water courses for centuries because of its non-biodegradable nature. High concentrations of this extremely toxic element are already commonly found in many fish populations consumed by indigenous and local residents and cause serious health problems.

Although mining settlements are usually of a rather ephemeral nature, they often imply the parallel installment of small villages for supplies and services. Thus, previously virgin forest areas are almost imperceptibly invaded by an increasing number of foreign colonizers, who rapidly either displace the original inhabitants or reduce them to misery by pushing them into marginal shantytowns. The subsequent construction of a network of roads and airstrips opens up the area further and allows the steady invasion of lumber companies and squatters. In this way, even areas supposedly protected by special laws may become heavily degraded in only a few years, losing irreversibly their protective nature as well as their biological richnes... for the temporal enrichment of a few persons. This serious and menacing situation is found today in many parts of the Tropics; to halt and to reverse it constitutes one of the major targets for the worldwide movement of people concerned about conservation of species and natural habitats. The

Guayana region, and implicitly also the Gran Sabana, does not escape from this threatening scenario and we all hope that a reasonable way of coexistence can still be found between the various opposing human activities, in order to save and preserve such a unique natural heritage!

Summing up, it appears evident that, even with the illustrations in this book, this short account will succeed in providing only a very general, succint impression of the biological treasures of the Gran Sabana landscape and its surrounding mountains. Nevertheless, it is hoped that the reader has been able to recognize the outstanting biological value of this hitherto almost unknown region and that he will, therefore, enjoy his journey in that fantastic natural scenary with more intensity and satisfaction.

Traslation: Hilary Branch

From El Dorado to Santa Elena de Uairén

Page **48**

The Gran Sabana's 500 or more kilometers of roads provide the easiest way of getting to know this vast territory. From El Dorado, the highway passes through thick forests which spread out behind you, as you climb up the steep road of La Escalera (The Stairway). You should stop to take a look at Salto El Danta (Tapir Falls), surrounded by cloud forest, to the left of the road. Dark and usually wet, tall woods line the road until it reaches an altitude of about 1,200m when, suddenly, the endless panorama of the Gran Sabana itself opens before you.

I recommend you to take the side road to Luepe which will bring you eventually to Kavanayen, an interesting Capuchin mission set in a valley among tablelands. On the way, a jeep track detours south towards the Aponwao River, where Indians ferry you across to a footpath leading to the splendid Aponwao Falls, 100 meters high.

Many impressive table mountains can be seen on the horizon along the whole route. In addition, there are many beautiful spots for camping, such as Quebrada Pacheco and Kama Falls. Farther on, beyond San Francisco de Yuruaní, is the lovely valley of Jasper Creek where crystalline waters flow over a red rock bed. The exuberant vegetation bordering the river (more like a brook in the dry season) helps to make this one of the most beautiful sights that I know in the Gran Sabana.

20

Wonken and Kamarata

This area, which is accessible principally by plane, is one of the lesser known parts of the Gran Sabana. I first visited the Capuchin Mission at Wonken, founded in 1957-59, some thirty years ago with a friend, Dirk Rovehl. We wanted to see a fall on the Karuay River which, although it appeared on the Canaima National Park map, had never been photographed. Neither had it ever been visited, to our knowledge. It was five days by kayak up the Karuay River from the mission. On reaching our target, we found not the slightest trace of human presence, nor any sign of Indian paths.

It was an unforttable experience to find ourselves in a truly virgin wilderness, and to feel that we were the first ever to see the falls in their setting of trees laden with orchids in full flower. It was something unique in my life.

Founded in 1954 to the north of Wonken, the Mission of Kamarata enjoys one of the most spectacular settings in Venezuela. To the west is the enormous massif of Auyantepui, and to the east, a group of tepuis which includes Ptari-tepui. The first time I visited Kamarata was in 1957 when I came up from Canaima by way of the Carrao River and its tributary, the Akanan. In the Kamarata area as excursion I recommend is the hike (and swim) to a place known as La Cueva. This narrow canyon, hardly more than a meter wide, is entered only by way of the Kavac River. In order to see the falls at the canyon's far end, you must swim up the sunless, cavelike passage.

Page 75
Looking to the south, over the lower Karuay Valley. In the foreground, the bastions of Acopán-Tepui, part of the Chimantá massit. In the distance, Angasima-Tepui.

Pages 76 and 77
Various kinds of savanna form different landscapes: above, impoverished savannas on stony hills; on the right, savannas, stands of moriche palm, and gallery forests in the Aponwao Valley.

Pages 78 and 79
One of the least-known and most captivating parts of the Gran Sabana: the valley of the Aruac River between Acopán-Tepui and Upuigma-Tepui.

Pages 80 and 81
On the left page, dawn silhouettes Upuigma-Tepui. Above, the Karuay River, with Upaigma-Tepui and Acopan-Tepui in the background.

Pages 82 and 83
Falls on the Karuay cascade about 40 meters, half way down the river between Wonken and Kavanayen. Left page, Salto del Humo (Smoke Falls) at the confluence of the Karuay and Caroní Rivers.

Page 84
On damp rocks at the edge of a falls grows this beautiful species, Chrysothemis (Gesneriaceae).

Pages 85
This group of orchids Hesisea bidentata dominates the view from the top of a tree.

Pages 86 and 87
In this cave a few meters from Salto del Humo (Smoke Falls) on the Karuay, nests a large colony of oilbirds known as guácharos Steatornis caripensis. The cave was discovered by the photographer in 1952. Delicate ferns cover the damp walls.

Pages 88 and 89
Above, a spectacular falls drops into the Akanán River. On the right, the Kavac River flows through a narrow canyon. To reach its lovely falls, you must swim up the two-meter slot.

Pages 90 and 91
Going up the Caroní (above), you come to the mouth of the Tírica. This tributary forms one of the region's most beautiful falls, the Techinek-Merú.

Pages 92 and 93
Show the whole Techinek-Merú.

Page 94
In the rapids, paku weed Podostemonaceae clings firmly to the rocks, only flowering at times of low water.

From Canaima to Auyantepui

Page 95
In 1954 I took an Aeropostal flight to Urimán, a diamond settlement, and before the amazed eyes of the miners, I set out in my kayak for the Tírica River, paddling upstream to the Aparuren. Then I descended the whole length of the Caroní as far as the Carrao, and went up this tributary to the lagoon of Canaima. At that time in Canaima there were no commercial flights and only an aluminium-roofed shelter which bush pilot Charles Baughan had built for the use of his adventurous tourist. Baughan happened to be there on the day I arrived and, seeing me, he was taken aback because he thought that I must be one of his tourists, left behind after his last trip. He was surprised and visibly relieved when I told him I was kayaking up the river. In its isolation of those years, the spot seemed to me an earthly paradise and I swore to return soon.

Two years later, commercial flights had been started and for the first time I met Rudi Truffino, with whom I formed a great and lasting friendship. Jungle Rudi, as he is known today, set up his celebrated camp there as the base of his tours throughout the area. This time, I paddled my kayak upriver to reach the foot of Angel Falls on a trip which took me five days by kayak and a total of 21 days before returning to Canaima. In all, I have made nine trips to the region of Angel Falls, twice setting out from Kamarata. The longest journey took me five weeks and for me the solitude of such virgin tracts is always fascinating.

It wasn't until 1985 when, thanks to the auspices of EDELCA, I was helicoptered to the top of Auyantepui where I stayed for six days, which were not enough for the immense area of the summit and its fissured surface, features which make walking extremely difficult.

Page 99
Near the mouth of the Carrao, the Caroní River flows quietly by the foot of Curatapaca Hill.

Pages 100 and 101
Dark waters, groves of moriche palms, and falls, with tepuis looming behind, are the classic elements of Canaima National Park scenery.

Pages 102 and 103
(Left) Hacha Falls on the Carrao River, seen from Canaima camp. (Right) Through a small gap, it is possible to walk behind this profile of Hacha Falls, witnessing the extraordinary power of tons of thundering water.

Pages 104 and 105
Kurún-Tepui, a table mountain whose classic outline is always in view in the Canaima area, rises to a height of 1,350 meters (4,455 ft.).

Pages 106 and 107
From the Carrao, a typical blackwater river (although reflecting the blue sky here), one views Kurún-tepui and Cerro Venado (Deer Hill). On the right, river stones repeat the weathered pattern of the tepuis.

Pages 108 and 109
The Hacha Falls start as rapids before cascading wildly into Canaima's lagoon. On the right, Ucaima falls, which can be appreciated at close hand from paths along the banks.

Pages 110 and 111
Green savannas on soft hills, bordered by lovely groves of moriche palms, make up the landscape south of Canaima. In the distance, clouds cover the Cararuban Range. On the right, thick forest covers the steep lower flanks of the north end of mighty Auyantepui.

Pages 112 and 113
Angel Falls' clear drop of nearly 1000 meters (3,212 ft) captivates as much by its setting of rock and flora as by its sheer fall.

Pages 114 and 115
The floor of the Churún Valley, also known as Devil's Canyon. This deep rift, which almost divides Auyentepui, is one of the most extraordinary canyons in the world.

Pages 116 and 117
Many falls, some only appearing after heavy rains, gracefully lace the walls of Auyantepui above the Churún Valley.

Page 118
Cliffs and false faces of Auyantepui rise above the dense forests of Ahonda Valley. In the distance, Uei-tepui and the Carrao River.

Page 119
The broken summit of Auyantepui provides clefts which shelter thick clumps of small trees, adapted to harsh weather and poor soil.

Pages 120 and 121
The rocks on Auyantepui's broken surface clearly show the effects of perpetual weathering.

Pages 122 and 123
Climbing up from Guayaraca by the traditional route, the same trail used by Jimmy Angel for his descent, you pass through screens of massive boulders, some precariously balanced.

Page 124
The second wall on Auyantepui, approximately 150 meters (nearly 500 ft.) high, is just a step in the great mesa's topography.

Page 125
The trees seen on the sides of the second wall are 10 to 15 meters (33 to 50 ft.) tall.

Pages 126 and 127
Imagination peoples Auyantepui's cliffs and summit with strange creatures of stone, or abstract paintings.

Pages 128 and 129
In the summer (dry season), the river bed is nearly dry, although it can become a raging torrent within hours of a cloudburst. Auyantepui, covering an area of 700 square kilometers, reveals a variety and richness of flora as well as rockscapes.

Pages 130 and 131
A small colony of Vellozia tubiflora survives on bare rock. On the right, Euterpe palms and dwarf forest of Bonnetia roraimae.

Page 132
Waters collecting on tablelands of the Guayana Shield are characteristically dark ('black water'), due to the breakdown of organic matter.

Page 133
Along the banks of streams and gulches, an interesting flora thrives, including many species endemic to Autantepui.

Page 134
Terrestrial and epiphytic lichens, often in large colonies, predominate among the tableland flora.

Page **136**

The first time I climbed Roraima was in the year 1973 with Toni Stuyk and my colleague, Antonio Oppenheimer, at the instigation of my friend Fernando Cangas. On this occasion we made the mistake of leaving our camping gear at the base of the cliff and when we ran into bad weather on the summit, we were obliged to return the same day to the camp. We had only three hours available for photography, with the bad luck that it rained most of the time. This first attempt left the desire to return with more time and less rush, but it was not until eleven years later that I decided to organize an expedition with my friends Carlos Aché, Uwe Radtke and Carsten Todtmann. On this second expedition we left our vehicles near the Indian village of Peraytepui and walked for eleven hours until making camp at the base of the cliff. This time the ascent was far more difficult because, in addition to the photographic equipment, we were carrying tents and food to spend two nights on top.

We were fortunate. Roraima, which is nearly always cloaked in mist, cleared for a few hours on our last day, a particularly lucky break for the photographer. On the third day we had to come down because of strong winds, cold weather, and lack of food, also taking into account that, now tired, we still faced the descent and the eleven-hour trek back over the Gran Sabana.

Page **139**

One of the characteristic grassy slopes near Roraima in the southeastern Gran Sabana.

Pages **140** and **141**

Many epiphytes flourish in the cloud forests of Roraima's foothills. Tangled, dripping forest makes the ascent difficult.

Page **142**

Evolutionary extremes here grow side by side: a primitive tree fern, center, and a 'modern' palm, Euterpe roraimae, on the left.

Page **143**

Abrubtly, the cloud forest ends as Roraima's walls rise vertically. Each niche has its particular plants.

Page **144**

Almost at the top, a last view of foothills spreads below. Dwarf shrubs, protected from the wind, cling in the crevices.

Page **145**

On top, two Roraima 'queens': Oretanthe sceptrum with yellow flowers and below, Stegolepis guianensis.

Pages **146** and **147**

The 'gateway' and northwest flank of Roraima, highest of the Gran Sabana table mountains (2,723 meters), seen from the foot of the final approach.

Pages **148** and **149**

On Roraima's summit, the landscape changes dramatically with a capricious variety of rocks shaped by millions of years of erosion.

Page **150**

Wind, water, and lichens are the agents of this many million-year-old sculpture.

Page **151**

Ponds and lagoons form in every dip of Roraima's surface, the residue of almost daily rains.

Pages **152** and **153**

Plants must overcome very difficult conditions to grow on the exposed rocks of Roraima. On the right, a pioneering group, mostly Pernettya marginata.

Page **154**

Tillandsia turneri var. orientalis is a ground bromeliad, adapted to survival on the tops of the eastern tepuis.

Page **155**

Cyrilla racemiflora, a handsome flowering shrub, is found quite frequently on tepui summits.

Page **156**

A garden, complete in a square meter. The sticky red leaves of a carnivorous plant, Drosera roraimae, colour the tussock.